NARRATORI STRANIERI

J.R.R. TOLKIEN
IL LAI DI AOTROU E ITROUN
con LE POESIE DELLA FATA MALIGNA

A cura di Verlyn Flieger
Con una nota al testo di Christopher Tolkien
Traduzione di Luca Manini

BOMPIANI

www.giunti.it
www.bompiani.it

Titolo originale
The Lay of Aotrou and Itroun

Per tutti i testi e i materiali di J.R.R. Tolkien
© The Tolkien Trust 1945, 2016
Per la Nota al testo © Christopher Tolkien 2016
Per Introduzione, Note e Commento © Verlyn Flieger 2016

Originally published in the English Language by HarperCollins Publishers Ltd.
77-85 Fulham Palace Road, Hammersmith, London W6 8JB
J.R.R. Tolkien asserts the moral right to be acknowledged as the author of this work

® e Tolkien ® sono marchi registrati della J.R.R. Tolkien Estate Limited

ISBN 978-88-301-1840-9

© 2023 Giunti Editore S.p.A./Bompiani
Via Bolognese 165 – 50139 Firenze – Italia
Via G.B. Pirelli 30 – 20124 Milano – Italia

Prima edizione Bompiani: ottobre 2023

"La paura della bella fata che spaziava per età precedenti si sottrae o quasi alla nostra comprensione."

J.R.R. Tolkien, *Sulle fiabe*

NOTA AL TESTO

Il *Lai di Aotrou e Itroun* è stato pubblicato una volta sola, sul *Welsh Review*, IV, 4, nel dicembre 1945. Di questo poemetto si sono conservati tre testi (non ne rimane però alcun abbozzo). Il primo è un manoscritto, buono ma incompleto, che pare sia stato sostituito da un secondo testo (che presenta ben pochi cambiamenti rispetto al primo), ossia da una bella copia sulla quale mio padre scrisse, alla fine, una data: 23 settembre 1930. Questa è una cosa molto interessante, perché le date sulla bella copia del manoscritto del *Lai del Leithian* si susseguono senza interruzioni, per una settimana, dal 25 settembre 1930 (l'annotazione è a fianco del v. 3220), mentre la data precedente sul manoscritto è il novembre 1929 (l'annotazione è a fianco del v. 3031 e, in apparenza, segna un punto d'inizio). Appare chiaro, dunque, che *Aotrou e Itroun* interruppe la composizione del canto X del *Lai del Leithian*.

Il terzo testo è un dattiloscritto basato sul manoscritto, che presenta un numero relativamente modesto di correzioni che erano state apportate; è molto simile a quello del *Lai del Leithian* e appartiene certamente allo stesso periodo. In entrambi il discorso diretto è in corsivo.

In seguito, il dattiloscritto fu sottoposto a un'ampia revisione: più di un quarto dei versi dell'originale o subirono cambiamenti minimi oppure furono completamente riscritti; nessuna di queste revisioni, però, altera la storia narrata. Mio padre si recò ad Aberystwyth, in qualità di membro di una commissione esaminatrice, nel giugno 1945 e affidò all'amico professore Gwyn Jones parecchie sue opere inedite, *Aotrou e Itroun*, *Il ritorno di Beorhtnoth figlio di Beorhthelm* e *Racconto meraviglioso*. Questo fatto portò, alla fine di quello stesso anno, alla pubblicazione di *Aotrou e Itroun* sul *Welsh Review*, del quale Gwyn Jones era il direttore, su espressa richiesta di quest'ultimo.

Vi sono alcune discrepanze fra il testo pubblicato sul *Welsh Review* e il dattiloscritto che, di questo sono sicuro, ne sta alla base. Quasi tutte sono dettagli insignificanti che riguardano la punteggiatura e la spaziatura. Il titolo completo del dattiloscritto è *Aotrou e Itroun ("Signore e Signora"). Un "lai bretone"*.

Occorre notare che non è corretto dire che *Aotrou e Itroun* "è in versi allitterativi, e segue uno schema rimato" (Humphrey Carpenter, *J.R.R. Tolkien. La biografia*, trad. it. di Franca Malagò, Paolo Pugni, Torino, Lindau, 2009, p. 254). Il poemetto è in distici ottosillabi e, come stile, è molto prossimo al *Lai del Leithian*, e l'allitterazione vi ha una funzione decorativa, non strutturale, sebbene qui e là assuma un carattere molto marcato:

> In the homeless hills was her hollow dale,
> back was his bowl, its brink was pale;
> there silent sat on a seat of stone […].[1]

Il *Lai di Aotrou e Itroun* ha però una storia più lunga, poiché è uno sviluppo della seconda parte di una poesia composita che s'intitola *La fata maligna* (*The Corrigan*, una parola bretone che significa "fata") e che si presenta qui. Non esistono prove che permettano di datare *La fata maligna*, sebbene paia improbabile che sia trascorso un lungo intervallo tra essa e *Aotrou e Itroun*.

Un'annotazione a matita nella prima parte della poesia dice che essa fu "suggerita da *Ar Bugel Laec'hiet*, un lai della Cornovaglia" (in Britannia). Il metro della seconda parte, sebbene diverso da quello adottato per *Aotrou e Itroun*, non è poi così diverso da impedire che alcuni suoi versi fossero trasportati nella seconda opera (e, infatti, ve ne sono molti nelle prime versioni di *Aotrou e Itroun*, poi espunti nella revisione finale); è il racconto, però, a esser narrato in modo diverso e non contiene alcun accenno a elementi fondamentali in *Aotrou e Itroun*, ossia che il signore non avesse figli, che si recasse da una strega per ottenere il suo aiuto e che ella fosse la fata della fonte.

CHRISTOPHER TOLKIEN

INTRODUZIONE

Originati dalla parte più oscura della fantasia di Tolkien, il *Lai di Aotrou e Itroun* e le due poesie più brevi che lo precedono e che ne costituiscono il punto di partenza sono un'aggiunta importante alla parte del suo canone che non riguarda la Terra di Mezzo, e dovrebbero essere posti accanto alle sue riscritture di miti e di leggende già esistenti, *La leggenda di Sigurd e Gudrún*, *La caduta di Artù* e *La storia di Kullervo*. Se il titolo usato da Tolkien non fa alcun riferimento alla "bella fata" che è nell'epigrafe di questo volume – e si concentra invece sul "signore" (*Aotrou*) e la "signora" (*Itroun*) che ne sono le vittime –, il personaggio svolge un ruolo importante in parecchie delle poesie che Tolkien scrisse negli anni centrali della sua vita. Oltre che nel *Lai*, essa appare in *Ides Ælfscýne* ("La lucente dama elfica"), uno dei suoi testi inseriti in *Songs for the Philologists*, una raccolta pubblicata privatamente nel 1936. Qui, una fanciulla elfica attrae con l'inganno un uomo mortale nel mondo fatato; quand'egli ne ritorna, cinquant'anni dopo, tutti i suoi amici sono morti. Sebbene la poesia di Tolkien sia scritta in antico inglese, il personaggio ricorre spesso nel folklore celtico, ove è la femmina seducente che proviene da un mondo altro per allettare a sé un uomo mortale.

Nel *Lai*, essa rappresenta una sottoclasse particolare di questo personaggio, una fata d'origine celtica (dei celti continentali) chiamata *corrigan*, maligna e talvolta seducente, la cui pericolosa forza attrattiva ha in sé sia la lusinga sia il terrore, la "paura della bella fata" della mia epigrafe. La *fata maligna* occupa un posto di rilievo in tutte le poesie presenti in questo volume, e segue un percorso che la porta a muoversi da dietro le quinte al centro della scena, dalla prima poesia, *La fata maligna I*, basata su una ballata bretone, a *La fata maligna II*, che deriva da un lai bretone. Essa si fa via via una presenza sempre più infausta nelle due versioni più lunghe che Tolkien sviluppò partendo dalla *Fata maligna II*. La sequenza mostra la sua figura sempre più potente mentre, poesia dopo poesia, essa assume un ruolo via via più attivo nella vita degli esseri umani. Essa, infine, preannuncia la più grande e la più nota delle misteriose, magiche dame della foresta, una dama la quale è similmente legata a una fonte e a una fiala: la bella e terribile Dama del Bosco d'Oro, la Regina degli Elfi creata da Tolkien, la Galadriel del *Signore degli Anelli*.

Tutte le poesie di questo volume sono il risultato di un periodo relativamente breve ma intenso della vita di Tolkien, quando egli era immerso nello studio delle lingue e delle mitologie celtiche. Tutte le poesie derivano, in misura più o meno ampia, da un'unica fonte, ossia dalla raccolta folkloristica *Barzaz-Breiz: Chants populaire de la Bretagne* di Théodore-Claude-Henri Hersart de La Villemarqué, pubblicata nel 1839 e ristampata nel 1840,

1845, 1846 e 1857; la raccolta è in due lingue, il bretone e il francese. L'opera di Villemarqué appartiene a un movimento folkloristico sviluppatosi nel diciannovesimo secolo, che interessò l'Europa e le isole britanniche e che fu un estremo tentativo di cogliere e preservare le ballate e le fiabe popolari che stavano, allora, svanendo rapidamente. Ciò che avevano fatto per la Germania i fratelli Grimm con *Kinder- und Hausmärchen*, ciò che per la Gran Bretagna aveva fatto la raccolta di Francis James Child *English and Scottish Popular Ballads* e le *Reliques of Ancient Poetry* di Thomas Percy, e ciò che per la Finlandia aveva fatto il *Kalevala* di Elias Lönnrot, Villemarqué intendeva farlo per la Bretagna con *Barzaz-Breiz* (e si potrebbe aggiungere che Tolkien intendeva far ciò per l'Inghilterra, a livello immaginativo, con il *legendarium* del suo *Silmarillion*). Lo scopo era recuperare (o, nel caso di Tolkien, fornire) una tradizione popolare che avrebbe contribuito a stabilire e convalidare un'identità culturale. In modo particolare nel caso dei fratelli Grimm e di Lönnrot, lo sforzo che stava dietro tutto questo non era solo quello di preservare le storie, bensì di scoprirne le tradizioni culturali e, soprattutto, la lingua, il lessico spesso arcaico o il dialetto regionale che avevano in sé i resti di una mitologia e di una visione del mondo ormai perdute o sommerse, ossia le radici della cultura autoctona.

Era questo il caso anche per Villemarqué. Sebbene la Bretagna avesse fatto parte della Francia sin dal 1532, ciò che egli cercò di preservare era l'identità bretone *celtique* degli *anciens bardes*, assieme alla lingua bretone; egli fu quindi attento ad annotare le fonti regionali e i dialetti

13

autoctoni che gli funsero da materiale, principalmente quelli della provincia di León, della Cornovaglia e del Tréguier. Divenuti immensamente popolari, gli *Chants populaire* furono subito tradotti in tedesco, italiano e polacco. Una traduzione inglese, di Tom Taylor, fu pubblicata nel 1865 con il titolo di *Ballads and Songs of Brittany*. Villemarqué, come accadde ai fratelli Grimm e a Lönnrot, fu più tardi accusato d'aver alterato i testi originali, d'aver "migliorato" le fonti. Sebbene queste accuse siano, in certa qual misura, vere, gli elementi del folklore e del mito che vi sottostanno sono autentici e queste accuse non hanno granché diminuito la popolarità delle opere di cui stiamo trattando. Da quando è uscito, *Barzaz-Breiz* non è mai andato fuori catalogo.

Tolkien ne possedeva l'edizione del 1846, in due volumi, e sul frontespizio di ciascun volume sono scritte la sua firma, John Reuel Tolkien, e la data dell'acquisto, il 1922. Essi appaiono in un catalogo dei suoi libri ora conservati nella English Faculty Library di Oxford; in questo catalogo sono presenti oltre cento lemmi che riguardano l'ambito celtico, con libri, testi di storia, grammatiche e dizionari, accanto a importanti testi di mitologia. Molti di questi, come il libro di Villemarqué, furono acquistati agli inizi degli anni venti. In questo periodo Tolkien stava lavorando anche alle storie della propria mitologia, e non c'è da stupirsi se l'una attività influenzasse l'altra, ossia se i temi celtici dei suoi studi incidessero sulla forma e il contenuto della sua opera creativa. Tra le varie opere in cui era impegnato, vi era il *Lai del Leithian*, un lungo poema in distici ottosillabi rimati che narra la storia dell'amore di Beren e Lúthien, una storia il cui sviluppo testuale è stato curato e pubblicato da Christopher Tolkien nei *Lai del Beleriand*.

La nota di Christopher al testo di *Aotrou e Itroun* (si veda *supra*, pp. 7-9) menziona la "bella copia" sulla quale, com'egli scrive, "mio padre scrisse, alla fine, una data: 23 settembre 1930. Questa è una cosa molto interessante," continua Christopher, "perché le date sulla bella copia del manoscritto del *Lai del Leithian* si susseguono senza interruzioni, per una settimana, dal 25 settembre 1930 (l'annotazione è a fianco del v. 3220), mentre la data precedente sul manoscritto è il novembre 1929 (l'annotazione è a fianco del v. 3031 e, in apparenza, segna un punto d'inizio).[1] Appare chiaro, dunque, che *Aotrou e Itroun* interruppe la composizione del canto X del *Lai del Leithian*."

Non è stata rinvenuta alcuna data per l'inizio di *Aotrou e Itroun*, ma un gruppo di date citate nella nota di Christopher – il novembre 1929 accanto al verso 3220 del *Lai del Leithian*, il 23 settembre che segna la fine della bella copia di *Aotrou e Itroun*, e il 25 settembre accanto al verso 3220 come momento di ripresa del lavoro sul *Lai del Leithian* – rafforza l'ipotesi che nel novembre del 1929 Tolkien avesse interrotto la copiatura del canto X del *Lai del Leithian* per quasi un anno, e che il prodotto di quell'interruzione fosse *Aotrou e Itroun*, e forse l'intera sequenza "bretone" che ebbe inizio con *La fata maligna I*.

Poiché tutti i testi poetici presentati in questo volume si collegano e si sovrappongono l'uno con l'altro quanto alla resa di un tema comune, la cosa migliore da fare, per amor di chiarezza, è parsa di separarli in sezioni più brevi, dove ogni testo è seguito da note e da un commento. La prima parte contiene il poemetto che dà il titolo alla raccolta e che fu pubblicato per la prima volta sul *Welsh Review*. La seconda parte presenta le due poesie che (presumibilmente) ne sono un'anticipazione e una preparazione, e che Christopher Tolkien ha trattato insieme come un dittico, essendo unite dal titolo. Sono *La fata maligna I*, la storia di un bambino scambiato in culla, e *La fata maligna II*, che reca il sottotitolo *Un lai bretone – a imitazione di "Aotrou Nann Hag ar Gorrigan", un lai del Leon*. *La fata maligna II* segue fedelmente la fonte bretone, ma non vi sono presenti gli elementi che Christopher cita, ossia la mancanza di figli della coppia, la prima visita del signore alla strega, e che essa sia la fata della fonte. La terza parte presenta una trascrizione della bella copia del manoscritto che aggiunge questi elementi e le pagine in facsimile del dattiloscritto corretto che fu il testo base del poemetto concluso e pubblicato sul *Welsh Review*. La quarta parte pone a confronto le poesie di Tolkien con passi tratti dal testo bretone originale e dalle traduzioni in francese e in inglese a esso contemporanee.

PARTE PRIMA
IL LAI DI AOTROU E ITROUN

THE LAY OF AOTROU AND ITROUN
as published in *The Welsh Review*

In Britain's land beyond the seas
the wind blows ever through the trees;
in Britain's land beyond the waves
are stony shores and stony caves.

5   There stands a ruined toft[1] now green
where lords and ladies once were seen,
where towers were piled above the trees
and watchmen scanned the sailing seas.
Of old a lord in archéd hall
10   with standing stones yet grey and tall
there dwelt, till dark his doom befell,
as still the Briton harpers tell.

No child he had his house to cheer,
to fill his courts with laughter clear;
15   though wife he wooed and wed with ring,
who love to board and bed did bring,
his pride was empty, vain his hoard,
without an heir to land and sword.

18

IL LAI DI AOTROU E ITROUN
secondo la stesura pubblicata sul *Welsh Review*

In terra di Bretagna oltre i mari
tra gli alberi trascorre sempre il vento;
in terra di Bretagna oltre le onde
petrose prode son, petrose grotte.

5   Sorge un maniero là, or verde ed in rovina,
ove eran dame un tempo e gran signori,
ove oltre gli alberi s'innalzavan torri
e la vedetta il mar guatava ove si naviga.
In antico un signore, in sale a volta,
10   rette da pietre ch'eran alte e grigie,
là dimorò; poi l'abbatté oscuro fato,
come narrano ancor gli arpisti bretoni.

Non avea figli a rallegrar la casa,
le corti a riempire di risate chiare;
15   sebbene donna avesse corteggiato e poi sposato,
che avea portato amore a tavola e nel letto,
vuota la sua fierezza, vano il suo tesoro,
senza un erede per le terre e per la spada.

Thus pondering oft at night awake
20   his darkened mind would visions make
of lonely age and death; his tomb
unkept, while strangers in his room
with other names and other shields
were masters of his halls and fields.
25   Thus counsel cold he took at last;
his hope from light to darkness passed.

A witch there was, who webs could weave
to snare the heart and wits to reave,[2]
who span dark spells with spider-craft,
30   and as she span she softly laughed;
a drink she brewed of strength and dread
to bind the quick and stir the dead.
In a cave she housed where winging bats
their harbour sought, and owls and cats
35   from hunting came with mournful cries,
night-stalking near with needle eyes.
In the homeless hills was her hollow dale,
black was its bowl, its brink was pale;
there silent on a seat of stone
40   before her cave she sat alone.
Dark was her door, and few there came,
whether man, or beast that man doth tame.

In Britain's land beyond the waves
are stony hills and stony caves;
45   the wind blows ever over hills
and hollow caves with wailing fills.

Così, desto pensando spesso nella notte,
20 con l'oscurata mente immagini creava
di vecchiezza e di morte solitarie, e negletta
la sua tomba, e stranieri nella stanza sua,
i quai con altri nomi e altri scudi
dei campi eran padroni, e delle sale.
25 Un freddo avviso prese egli alfine
e il suo sperar da luce mutò in buio.

V'era una strega che poteva intesser tele
a intrappolare il cuore e derubar la mente;
bui incanti filava, pari a destro ragno,
30 e mentre sì filava essa rideva, piano;
approntava una pozione di forza e di spavento
per i vivi legare e rianimare i morti.
Viveva in una grotta e là i pipistrelli
si riparavano volando, e gufi e gatti
35 dopo la caccia andavan con luttuosi gridi,
nottivaghi, nei pressi, con acuti occhi.
Entro i deserti colli era sua cava valle,
nera n'era la conca e pallido era il bordo;
e là, seduta su un petroso seggio,
40 innanzi alla sua grotta essa sedeva sola.
Scuro n'era l'ingresso e pochi andavan là,
uomini fossero ovver bestie che l'uom doma.

In terra di Bretagna oltre le onde,
petrosi colli son, petrose grotte;
45 per i colli trascorre sempre il vento
e colma di lamenti quelle cave grotte.

The sun was fallen low and red,
behind the hills the day was dead,
and in the valley formless lay
50   the misty shadows long and grey.
Alone between the dark and light
there rode into the mouth of night
the Briton lord, and creeping fear
about him closed. Dismounting near
55   he slowly then with lagging feet
went halting to the stony seat.
His words came faltering on the wind,
while silent sat the crone and grinned.
Few words he needed; for her eyes
60   were dark and piercing, filled with lies,
yet needle-keen all lies to probe.
He shuddered in his sable robe.
His name she knew, his need, his thought,
the hunger that thither him had brought;
65   while yet he spoke she laughed aloud,
and rose and nodded; head she bowed,
and stooped into her darkening cave,
like ghost returning to the grave.
Thence swift she came. In his hand she laid
70   a phial[3] of glass so fairly made
'twas wonder in that houseless place
to see its cold and gleaming grace;
and therewithin a philter[4] lay
as pale as water thin and grey
75   that spills from stony fountains frore[5]
in hollow pools in caverns hoar.[6]

Caduto era il sole, rosso e basso,
dietro quei colli morto era il giorno,
e nella valle si spargevan, senza forma,
50   le ombre fosche ch'eran lunghe e bigie.
Da solo, tra l'oscurità e la luce,
dentro la bocca della notte cavalcò
il bretone signor e paura che agghiaccia
attorno a lui si chiuse. Egli smontò vicino
55   e lentamente, con pesanti passi,
si accostò a quel petroso seggio.
Titubarono al vento le parole sue,
mentre sedea la vecchia, e sorrideva.
Poche gli occorsero parole, ché gli occhi di lei
60   eran bui e pungenti, e menzogneri,
e acuti invero a riconoscer la menzogna.
Egli rabbrividì nel manto scuro.
Essa sapea il suo nome, il suo bisogno, il suo pensiero,
la fame che colà lo avea portato;
65   e rise forte mentre lui parlava
e annuendo s'alzò; chinò poi il capo,
e si piegò entrando nella buia grotta,
sì come spettro che ritorna nella tomba.
Lesta ne uscì e aveva nella mano
70   una fiala di vetro sì leggiadra
che miracolo parve in sì deserto luogo
vedere la sua grazia, sì lucente e fredda;
e dentro v'era un liquido versato
pallido pari ad acqua grigia e fine
75   che sgorgando da fonte gelida e petrosa
ricada in bassi stagni in caverne grigie.

He thanked her, trembling, offering gold
to withered fingers shrunk and old.
The thanks she took not, nor the fee,
80 but laughing croaked: "*Nay, we shall see!
Let thanks abide till thanks be earned!
Such potions oft, men say, have burned
the heart and brain, or else are nought,
only cold water dearly bought.*
85 *Such lies you shall not tell of me;
Till it is earned I'll have no fee.
But we shall meet again one day,
and rich reward then you shall pay,
what e'er I ask: it may be gold,*
90 *it may be other wealth you hold.*"

In Britain ways are wild and long,
and woods are dark with danger strong;
and sound of seas is in the leaves,
and wonder walks the forest-eaves.

95 The way was long, the woods were dark;
at last the lord beheld the spark
of living light from window high,
and knew his halls and towers were nigh.
At last he slept in weary sleep
100 beside his wife, and dreaming deep,
he walked with children yet unborn
in gardens fair, until the morn
came slowly through the windows tall,
and shadows moved across the wall.

Egli tremando ringraziò e offrì oro
a quelle dita rattrappite, magre e vecchie.
Essa non accettò mercede o grazie
80 ma ridendo gracchiò: "*Oh no, vedremo!*
Quando 'l meriterò avrò il tuo grazie!
Bruciarono, si dice, spesso le pozioni mie
la mente e il cuore oppur furono vane,
solo acqua fredda acquistata a caro prezzo.
85 *Su me tu non dirai tali menzogne;*
mercede non avrò, se non per merto.
Un giorno noi c'incontreremo ancora
e ricca ricompensa allor mi pagherai
quale ti chiederò, sia essa oro
90 *ovver altra ricchezza che tu tenga.*"

Aspre e lunghe son le vie in Bretagna,
e bui i boschi per perigli grandi;
e tra le foglie v'è il suon del mare
e meraviglie son della foresta ai bordi.

95 Lunga la via, oscuri erano i boschi;
alfin vide il signore la scintilla
di luce viva da alta finestra
e seppe ch'eran prossime e sale e torri.
Ei poi dormì un faticoso sonno
100 presso la sposa, ed in profondi sogni
camminò con bambini ancor non nati
in bei giardini, insino a che il mattino
non entrò lento per le alte finestre,
e mosser ombre lungo la parete.

105 Then sprang the day with weather fair,
for windy rain had washed the air,
and blue and cloudless, clean and high,
above the hills was arched the sky,
and foaming in the northern breeze
110 beneath the sky there shone the seas.
Arising then to greet the sun,
and day with a new thought begun,
that lord in guise of joy him clad,
and masked his mind in manner glad;
115 his mouth unwonted laughter used
and words of mirth. He oft had mused,
walking alone with furrowed brow;
a feast he bade prepare him now.
And "*Itroun mine,*" he said, "*my life,*
120 *'tis long that thou hast been my wife.*
Too swiftly by in love do slip
our gentle years, and as a ship
returns to port, we soon shall find
once more that day of spring we mind,
125 *when we were wed, and bells were rung.*
But still we love, and still are young:
A merry feast we'll make this year,
and there shall come no sigh nor tear;
and we will feign our love begun
130 *in joy anew, anew to run*
down happy paths – and yet, maybe,
we'll pray that this year we may see
our heart's desire more quick draw nigh
than yet we have seen it, thou and I;
135 *for virtue is in hope and prayer.*"
So spake he gravely, seeming-fair.

105 Ed ecco sorse il giorno, col bel tempo,
ché pioggia e vento avevan dilavato l'aria,
e azzurro e senza nubi, terso e alto,
il cielo s'inarcava sopra i colli
e, schiumanti alla brezza che venia da nord,
110 i mari rilucevan sotto il cielo.
Allor levandosi per salutare il sole
e il giorno che iniziava con pensiero nuovo,
in sembiante di gioia sé vestì il signore
e in modi lieti mascherò la mente;
115 ebbe un sorriso a lui non uso sulle labbra,
e motti d'allegria. E spesso meditava,
solo vagando, e corrugando il ciglio;
e ordinò che gli approntassero un banchetto.
E *"Itroun mia,"* ei disse, *"tu, mia vita,*
120 *da lungo tempo sei ormai mia sposa.*
Rapidi troppo, amando, vanno via
i nostri dolci anni, e come nave
che torna al porto presto troveremo
nel ricordo quel dì di primavera
125 *quando noi ci sposammo al suon delle campane.*
E ancora amiamo e ancor giovani siamo,
e un festoso banchetto avremo noi quest'anno,
ove non entrerà o lacrima o sospiro;
e fingerem che l'amor nostro inizi
130 *a nuovo nella gioia e a nuovo corra*
per ben lieti sentier – e chi sa, forse
noi pregheremo di veder quest'anno
vicino a noi del cuore il desiderio
ratto venire più di quanto mai vedemmo;
135 *ché sperare e pregare è già virtù."*
Gravemente ei parlò, con lieto aspetto.

In Britain's land across the seas
the spring is merry in the trees;
the birds in Britain's woodlands pair
140   when leaves are long and flowers are fair.

A merry feast that year they made,
when blossom white on bush was laid;
there minstrels sang and wine was poured,
as it were the marriage of a lord.
145   A cup of silver wrought he raised
and smiling on the lady gazed:
"*I drink to thee for health and bliss,
fair love,*" he said, "*and with this kiss
the pledge I pass. Come, drink it deep!*
150   *The wine is sweet, the cup is steep!*"

The wine was red, the cup was grey;
but blended there a potion lay
as pale as water thin and frore
in hollow pools of caverns hoar.
155   She drank it, laughing with her eyes.
"*Aotrou, lord and love,*" she cries,
"*all hail and life both long and sweet,
wherein desire at last to meet!*"

Now days ran on in great delight
160   with hope at morn and mirth at night;
and in the garden of his dream
the lord would walk, and there would deem
he saw two children, boy and maid,
that fair as flowers danced and played

Il lai di Aotrou e Itroun

Di là dai mari, in terra di Bretagna
fra gli alberi è lieta primavera;
nei boschi di Bretagna in coppia van gli uccelli,
140 quando lunghe sono le foglie e belli i fiori.

E un festoso banchetto ebbero quell'anno,
quand'eran bianchi fiori sui cespugli;
dei menestrelli al canto, fu versato il vino,
sì come fosser nozze d'un signore.
145 D'argento egli levò alta una coppa
e guardò la sua dama e le sorrise:
"*A te io bevo per salute e gaudio,
mio dolce amore,*" disse, "*e con un bacio
io faccio una promessa: prendi e bevi!
150 Il vino è dolce, fonda è questa coppa!*"

Rosso era il vino e grigia era la coppa,
e v'era là mischiata una pozione,
pallida quale acqua fine e fredda,
che in cavi stagni sia di gelide caverne.
155 Ella ne bevve, con ridenti occhi.
Ed esclamò: "*Aotrou, mio amore e mio signore,
salute e vita siano dolci e lunghe,
e incontro a noi or venga il desir nostro!*"

Corsero i giorni con delizia grande,
160 con speme nel mattino e gioia nella notte;
e nel giardino del suo sogno
vagava il signore e gli pareva
di veder due bambini, un bimbo e una bimba,
danzar giocando, belli come fiori,

165 on lawns of sunlight without hedge
save a dark shadow at their edge.

Though spring and summer wear and fade,
though flowers fall and leaves are laid,
and winter winds his trumpet loud,
170 and snows both fell and forest shroud,
though roaring seas upon the shore
go long and white, and neath the door
the wind cries with houseless voice,
in fire and song yet men rejoice,
175 till as a ship returns to port
the spring comes back to field and court.

A song now falls from windows high,
like silver dropping from the sky,
soft in the early eve of spring.

180 *"Why do they play? Why do they sing?"*

"Light may she lie, our lady fair!
Too long hath been her cradle bare.
Yestreve there came as I passed by
the cry of babes from windows high.
185 *Twin children, I am told there be.*
Light may they lie and sleep, all three!"
"Would every prayer were answered twice!
The half or nought must oft suffice
for humbler men, who wear their knees
190 *more bare than lords, as oft one sees."*

165 su prati pien di sole e senza siepi,
se non un'ombra scura sul confine.

Svaniscon consumate primavera, estate,
appassiscono i fiori, e cadono le foglie,
l'inverno suona alta la sua tromba,
170 la neve ammanta i colli e la foresta,
s'allunga il mare, bianco, sulla proda
mugghiando forte, e di sotto alla porta
il vento grida con smarrita voce...
sì, ma gioisce ognun cantando accanto al fuoco,
175 sinché, come una nave che ritorna al porto,
nei campi torna primavera, e nella corte.

Cade ora un canto dall'alta finestra,
quasi un gocciare argenteo dal cielo,
lieto nel primo inizio della primavera.

180 *"Perché suonano essi? Perché cantano?"*

"Tranquilla giaccia la signora nostra!
A lungo troppo fu la culla vuota.
Iersera giunse, mentre io passavo,
pianto di bimbi dall'alta finestra.
185 *E mi fu detto ch'eran due gemelli.*
Giaccian tranquilli i tre, in dolce sonno!"
"Fosse ogni prece al doppio esaudita!
Spesso lo è a metà, ovvero in nulla,
all'umil gente che consuma i ginocchi
190 *più dei signor, come si vede spesso."*

"Not every lord wins such fair grace.
Come wish them speed with kinder face!
Light may she lie, my lady fair;
long live her lord her joy to share!"

195 A manchild and an infant maid
as fair as flowers in bed were laid.
Her joy was come, her pain was passed;
in mirth and ease Itroun at last
in her fair chamber softly lay
200 singing to her babes lullay.
Glad was her lord, as grave he stood
beside her bed of carven wood.
"Now full," he said, *"is granted me*
both hope and prayer, and what of thee?
205 *Is 't not, fair love, most passing sweet*
the heart's desire at last to meet?
Yet if thy heart still longing hold,
or lightest wish remain untold,
that will I find and bring to thee,
210 *though I should ride both land and sea!"*

"Aotrou mine," she said, *"'tis sweet*
at last the heart's desire to meet,
thus after waiting, after prayer,
thus after hope and nigh despair.
215 *I would not have thee run nor ride*
to-day nor ever from my side;
yet after sickness, after pain,
oft cometh hunger sharp again."

"*Non vince ogni signore una tal grazia.*
Gioia augurate lor con lieta faccia!
Tranquilla giaccia la signora mia;
la stessa gioia abbia il signore e a lungo viva!"

195 E un bimbo ed una bimba, belli
come fiori, nel letto furon posti.
Venuta era sua gioia, e passato il duolo;
alfin lieta e tranquilla, dolcemente Itroun
giaceva nella sua camera bella,
200 cantando ninnenanne ai suoi bambini.
Lieto il signor, mentre restava, grave,
accanto al letto d'istoriato legno.
E disse: "*Or pienamente m'è concessa*
speme e preghiera... e cosa provi tu?
205 *Non è, mio dolce amor, più che soave*
vero veder del cuore il desiderio?
Ma se una qualche brama ancor ti stringe il cuore,
o se non detta ancor è pur minima voglia,
oh ciò io troverò, ti porterò,
210 *dovessi io percorrer terra o mare!*"

"*Oh mio Aotrou,*" diss'ella, "*è dolce sì*
vero veder del cuore il desiderio,
dopo la lunga attesa e le preghiere,
dopo la speme e il quasi disperare.
215 *In sella non vorrei vederti, in corsa,*
oggi né mai, lontano dal mio fianco;
dopo la malattia, però, e dopo il duolo,
a noi spesso ritorna un'acuta fame."

"Nay, love, if thirst or hunger strange
220 for bird or beast on earth that range,
for wine, or water from what well
in any secret fount or dell,
vex thee," he smiled, "now swift declare!
If more than gold or jewel rare,
225 from greenwood, haply, fallow deer,
or fowl that swims the shallow mere
thou cravest, I will bring it thee,
though I should hunt o'er land and lea.
No gold nor silk nor jewel bright
230 can match my gladness and delight,
the boy and maiden lily-fair
that here do lie and thou did'st bear."

"Aotrou, lord," she said, "'tis true,
a longing strong and sharp I knew
235 in dream for water cool and clear,
and venison of the greenwood deer,
for waters crystal-clear and cold
and deer no earthly forests hold;
and still in waking comes unsought
240 the foolish wish to vex my thought.
But I would not have thee run nor ride
to-day nor ever from my side."

In Brittany beyond the seas
the wind blows ever through the trees;
245 in Brittany the forest pale
marches slow over hill and dale.
There seldom far the horns were wound,
and seldom hunted horse and hound.

"*Amor, se strana sete o strana fame*
220 *d'uccello o d'animal che muova in terra,*
di vino oppure d'acqua di sorgente
che sia in celata valle o in una fonte,
t'assilla... dillo adesso!" – e qui sorrise.
"*Se più che oro o una gemma rara,*
225 *dal bosco, forse, un cervo di rossastro pelo,*
ovver dal basso stagno un natante pesce,
bramassi tu, a te lo porterò,
dovessi io cacciar per terre o acque.
Non oro v'è, non seta, non lucente gemma
230 *che possa pareggiar mia gioia e mia letizia,*
questi bambini belli come gigli
che giaccion qui e che tu hai generato."

Diss'ella: "*Aotrou, signore, è vero,*
forte e pungente brama io conobbi
235 *in sogno per un'acqua fresca e chiara,*
e per la carne del boschivo cervo,
per acque chiare, cristalline e fredde,
per cervo che non è in terrestre bosco;
e sempre, nella veglia, non voluto,
240 *quello sciocco desir giunge a turbarmi.*
Ma in sella non vorrei vederti, in corsa,
oggi né mai, lontano dal mio fianco."

In terra di Bretagna oltre i mari
tra gli alberi trascorre sempre il vento;
245 in Bretagna la pallida foresta
lenta si stende sopra colli e valli.
I corni raramente eran suonati là,
e raro vi cacciava o cavallo o cane.

The lord his lance of ashwood caught,
250 the wine was to his stirrup brought;
with bow and horn he rode alone,
and iron smote the fire from stone,
as his horse bore him o'er the land
to the green boughs of Broceliande,
255 to the green dales where listening deer
seldom a mortal hunter hear:
there startling now they stare and stand,
as his horn winds in Broceliande.

Beneath the woodland's hanging eaves
260 a white doe startled under leaves;
strangely she glistered in the sun
as she leaped forth and turned to run.
Then reckless after her he spurred;
dim laughter in the woods he heard,
265 but heeded not, a longing strange
for deer that fair and fearless range
vexed him, for venison of the beast
whereon no mortal hunt shall feast,
for waters crystal-clear and cold
270 that never in holy fountain rolled.
He hunted her from the forest eaves
into the twilight under leaves;
the earth was shaken under hoof,
till the boughs were bent into a roof,
275 and the sun was woven in a snare;
and laughter still was on the air.

The sun was falling. In the dell
deep in the forest silence fell.

Tolse il signor la lancia sua di frassino,
250 porto il vino gli fu quando fu in sella:
con arco e corno, solo ei cavalcò,
e dalla pietra il ferro suscitava fuoco
mentre il cavallo lo menava per la terra
insino ai verdi rami di Broceliande,
255 a quelle verdi valli ove i cervi all'erta
odono raramente un cacciator terreno.
Or sbigottiti stanno, con gli occhi fissi,
mentre il suo corno suona là, a Broceliande.

Sotto i rami del bosco, e le sue fronde,
260 ristette, sbigottita, bianca cerva;
nel sole stranamente essa rifulse,
per poi voltarsi e via balzar, fuggendo.
Con impeto egli spronò il cavallo dietro lei;
udì nei boschi una risata tenue,
265 ma l'ignorò, perché una brama strana
d'impavidi e bei cervi lo teneva,
di carne di quell'animal vagante
che mai sul desco appar d'un cacciator mortale,
e d'acque chiare, cristalline e fredde
270 che mai non scorsero nelle sorgenti sacre.
Ei la cacciò dai margini della foresta
sino al crepuscolo creato dalle foglie;
sotto gli zoccoli tremò la terra
e i rami si piegarono a formare un tetto,
275 e il sole fu intessuto in una trappola;
e la risata era nell'aria ancora.

Stava calando il sole e nella valle
vi fu il silenzio, e nel profondo della selva.

No sight nor slot[7] of doe he found
280 but roots of trees upon the ground,
and trees like shadows waiting stood
for night to come upon the wood.

The sun was lost, all green was grey.
There twinkled the fountain of the fay,
285 before a cave on silver sand,
under dark boughs in Broceliande.
Soft was the grass and clear the pool;
he laved his face in water cool.
He saw her then, on silver chair
290 before her cavern, pale her hair,
slow was her smile, and white her hand
beckoning in Broceliande.

The moonlight falling clear and cold
her long hair lit; through comb of gold
295 she drew each lock, and down it fell
like the fountain falling in the dell.
He heard her voice, and it was cold
as echo from the world of old,
ere fire was found or iron hewn,
300 when young was mountain under moon.
He heard her voice like water falling
or wind upon a long shore calling,
yet sweet the words: "*We meet again
here after waiting, after pain!*
305 *Aotrou! Lo! thou hast returned –*
perchance some kindness I have earned?
What hast thou, lord, to give to me
whom thou hast come thus far to see?"

Non vide più, non v'era traccia della cerva
280 ma solo, sul terreno, arboree radici,
e ogni albero attendeva, quale ombra,
che la notte scendesse sopra al bosco.

Perduto il sole, grigio era ora il verde.
Là rilucea la fonte della fata,
285 innanzi a una caverna sopra argentea sabbia,
sotto gli oscuri rami di Broceliande.
Molle era l'erba e chiaro era lo stagno;
nell'acqua fresca ei si lavò la faccia.
E allor la vide, sopra argenteo scranno
290 innanzi alla caverna, con pallida chioma;
lento era il sorriso, bianca la sua mano
che lo chiamava a Broceliande.

La luna illuminava, chiara e fredda,
la lunga chioma sua; e con pettine d'oro
295 essa traea ogni ciocca, facendola cadere
come acqua di fonte cade nella valle.
La voce egli ne udì, ed era fredda,
sì come l'eco dell'antico mondo,
prima che il fuoco fosse o fosse il ferro,
300 quando sotto la luna giovane era il monte.
La voce sua egli udì quale cadente acqua,
o quale urlante vento su una proda;
dolce però fu il dir: "*Noi c'incontriamo ancor,*
dopo l'attesa, qui, e dopo il duolo!
305 *Aotrou! Ascolta! Tu sei ritornato –*
atto di cortesia mi guadagnai?
Che hai, signore, tu da dare a me,
che sì da lungi sei venuto a rivedere?"

"*I know thee not, I know thee not,*
310 *nor ever saw thy darkling grot.*
O Corrigan! 'twas not for thee
I hither came a-hunting free!"

"*How darest then, my water wan*
to trouble thus, or look me on?
315 *For this at least I claim my fee,*
if ever thou wouldst wander free.
With love thou shalt me here requite,
for here is long and sweet the night;
in druery[8] *dear thou here shalt deal,*
320 *in bliss more deep than mortals feel.*"

"*I gave no love. My love is wed;*
my wife now lieth in child-bed,
and I curse the beast that cheated me
and drew me to this dell to thee."

325 Her smiling ceased, and slow she said:
"*Forget thy wife; for thou shalt wed*
anew with me, or stand as stone
and wither lifeless and alone,
as stone beside the fountain stand
330 *forgotten in Broceliande.*"

"*I will not stand here turned to stone;*
but I will leave thee cold, alone,
and I will ride to mine own home
and the waters blest of Christendome."

"*Non ti conosco, no, non ti conosco,*
310 *né mai io vidi la tua grotta oscura.*
Oh fata tu maligna! Non per te
io venni qui sì libero a cacciare!"

"*E come osi allor l'acqua mia opaca*
turbar così, ovvero me guardare?
315 *Per queste cose almen reclamo mia mercede,*
se libero andartene vorrai.
Tu mi ricambierai qui con l'amore,
perché la notte è lunga e dolce, qui;
all'amor qui ti abbandonerai,
320 *provando un gaudio che non uomo mai.*"

"*Amor non do, sposato è il mio amore,*
la sposa mia è diventata madre,
e l'animale maledico che, ingannando,
sino a te mi allettò in questa valle."

325 Cessò il sorriso ed essa disse, piano:
"*Scorda la sposa: or nuove nozze avrai*
con me, ovvero come pietra tu starai,
privo di vita, appassendo, solo,
qual pietra, sì, accanto alla sorgente,
330 *dimenticato a Broceliande.*"

"*Io qui non rimarrò, mutato in pietra;*
ma te io lascerò, e solitaria e fredda,
e verso casa mia cavalcherò,
e verso le cristiane acque sante."

41

335   *"But three days then and thou shalt die;*
       in three days on thy bier lie!"

       "In three days I shall live at ease,
       and die but when it God doth please
       in eld,[9] *or in some time to come*
340   *in the brave wars of Christendom."*

       In Britain's land beyond the waves
       are forests dim and secret caves;
       in Britain's land the breezes bear
       the sound of bells along the air
345   to mingle with the sound of seas
       for ever moving in the trees.

       The wandering way was long and wild;
       and hastening home to wife and child
       at last the hunter heard the knell
350   at morning of the sacring-bell;
       escaped from thicket and from fen
       at last he saw the tilth[10] of men;
       the hoar and houseless hills he passed,
       and weary at his gates him cast.
355   *"Good steward, if thou love me well,*
       bid make my bed! My heart doth swell;
       my limbs are numb with heavy sleep,
       and drowsy poisons in them creep.
       All night, as in a fevered maze,
360   *I have ridden dark and winding ways."*
       To bed they brought him and to sleep:
       in sunless thickets tangled deep
       he dreamed, and wandering found no more

335 *"Solo tre giorni e poi tu morirai;*
solo tre giorni e giacerai sul catafalco."

"Io fra tre giorni ancora vivrò in pace,
e solo io morrò quando a Dio piaccia,
o vecchio oppure in un futuro tempo
340 *da ardito cristiano combattendo in guerra."*

In terra di Bretagna oltre le onde,
vi son foreste opache e celate grotte;
reca la brezza in terra di Bretagna
per l'aria il suon delle campane,
345 perché s'unisca al suon dei mari
che sempre tra gli alberi si muove.

E lunga e aspra era la sinuosa via;
rapido andando verso moglie e figli
alfine il cacciatore udì il rintocco
350 della sacra campana nel mattino;
sfuggito ai fitti boschi e alle paludi
alfine ei vide i campi coltivati;
i colli passò bianchi e desolati
e, stanco, innanzi al suo portone si arrestò.
355 *"Buon maggiordomo, ordina, se m'ami,*
di prepararmi il letto. Mi si gonfia il cuore;
per grave sonno ho torpide le membra,
ché in esse strisciano veleni lenti.
Tutta la notte, in dedalo febbrile,
360 *io cavalcai per vie sinuose e oscure."*
A letto lo portarono, e al suo sonno:
in intricati boschi, fondi e senza sole,
egli sognò vagar, senza trovare più

the garden green, but on the shore
365 the seas were moaning in the wind;
a face before him leered and grinned:
"*Now it is earned, come bring to me
my fee,*" a voice said, "*bring my fee!*"
Beside a fountain falling cold
370 the Corrigan now shrunk and old
was sitting singing; in her claw
a comb of bony teeth he saw,
with which she raked her tresses grey,
but in her other hand there lay
375 a phial of glass with water filled
that from the bitter fountain spilled.
At eve he waked and murmured: "*Ringing
of bells within my ears, and singing,
a singing is beneath the moon.*
380 *Grieve not my wife! Grieve not Itroun!*
My death is near – but do not tell,
though I am wounded with a spell!
But two days more, and then I die –
and I would have had her sweetly lie
385 *and sweet arise; and live yet long,*
and see our children hale and strong."
His words they little understood,
but cursed the fevers of the wood,
and to their lady no word spoke.
390 Ere second morn was old she woke,
and to her women standing near
gave greeting with a merry cheer:
"*Good people, lo! the morn is bright!*
Say, did my lord return ere night,
395 *and tarries now with hunting worn?*"

il verde verziere, ma, lungo la proda,
365 i mari lamentavano nel vento;
e maligna gli sorridea una faccia:
"L'ho guadagnata e ora vieni e a me porta
la mia mercé," disse una voce, *"la mercé!"*
Accanto a una sorgente che scorreva fredda,
370 quella maligna fata, or rattrappita e vecchia,
sedeva e cantava, e nell'artiglio
pettine ei vide, e di denti e d'ossi,
col quale essa passava le sue ciocche grigie,
e nell'altra sua mano era poggiata
375 una fiala di vetro colma d'acqua
che tolta fu da quell'amara fonte.
Desto al mattino mormorò: *"Campane*
risonano al mio orecchio, e un canto
sotto la luna v'è, sì, un canto.
380 *Duolo non date alla mia sposa! A Itroun!*
Vicina m'è la morte – ma non dite,
sebbene un incanto abbia me ferito!
Solo due giorni ancora e poi morrò –
dolcemente giacer volevo io vederla
385 *e poi levarsi e vivere poi a lungo*
e i nostri figli veder sani e forti."
A stento essi compreser le parole,
i boschi maledissero e lor febbri,
e parola non dissero alla lor signora.
390 Quando, tardi, il mattino ella si destò,
alle donne che le erano vicino
diede un saluto con aspetto lieto:
"Guardate, brave donne, è luce nel mattino!
Il mio signore, dite, non tornò innanzi a sera
395 *e non riposa or stanco per la caccia?"*

"*Nay, lady, he came not with the morn;*
but ere men candles set on board,
thou wilt have tidings of thy lord;
or hear his feet to thee returning,
400 *ere candles in the eve are burning.*"

Ere the third morn was wide she woke,
and eager greeted them, and spoke:

"*Behold the morn is cold and grey,*
and why is my lord so long away?
405 *I do not hear his feet returning*
neither at evening nor at morning."

"*We do not know, we cannot say,*"
they answered and they turned away.

Her gentle babes in swaddling white,
410 now seven days had seen the light,
and she arose and left her bed,
and called her maidens and she said:
"*My lord must soon return. Come, bring*
my fairest raiment, stone on ring,
415 *and pearl on thread; for him 'twill please*
to see his wife abroad at ease."

She looked from window tall and high,
and felt a breeze go coldly by;
she saw it pass from tree to tree;
420 the clouds were laid from hill to sea.
She heard no horn and heard no hoof,

"No, mia signora, egli non giunse nel mattino,
ma pria che le candele siano sul desco
avrai notizie del signore tuo,
o udrai i suoi passi mentre a te ritorna
400 *prima che di sera ardan le candele."*

Il terzo mattino più presto si destò
e loro ansiosa salutò e disse:

"Guardate, il mattino è freddo e bigio,
perché il mio signore ancora è lungi?
405 *Non odo i passi suoi mentre a me torna,*
non nella sera e neppure nel mattino."

"Noi non sappiamo, dire non possiamo,"
risposero volgendosi altrove.

I dolci suoi bambini, nelle fasce bianche,
410 da sette giorni avean visto la luce
ed ella si levò e lasciò il letto,
chiamò le damigelle e disse loro:
"Il mio signore presto sarà qui. Portate
l'abito più bello, l'anello con la gemma,
415 *e il fil di perle, ché a lui farà piacere*
la sposa sua vedere alzata, e lieta."

Guardò dalla finestra, ch'era alta,
sentì il soffio della brezza fredda,
d'albero in albero passar la vide;
420 dai colli sino al mare eran distese nubi.
Zoccoli non udì, non udì il corno,

but rain came pattering on the roof;
in Brittany she heard the waves
on sounding shore in hollow caves.

425   The day wore on till it was old;
she heard the bells that slowly tolled.
"Good folk, why do they mourning make?
In tower I hear the slow bells shake,
and Dirige[11] *the white priests sing.*
430   *Whom to the churchyard do they bring?"*

"A man unhappy here there came
a while agone. His horse was lame;
sickness was on him, and he fell
before our gates, or so they tell.
435   *Here he was harboured, but to-day*
he died, and passeth now the way
we all must go, to church to lie
on bier before the altar high."

She looked upon them, dark and deep,
440   and saw them in the shadows weep.
"Then tall, and fair, and brave was he,
or tale of sorrow there must be
concerning him, that still ye keep,
if for a stranger thus ye weep!
445   *What know ye more? Ah, say! ah, say!"*
They answered not, and turned away.
"Ah me," she said, *"that I could sleep*
this night, or least that I could weep!"
But all night long she tossed and turned,

solo la pioggia che battea sul tetto;
le onde ella udì là, in Bretagna,
sulla sonante proda, in cave grotte.

425 Il dì sé consumò, sinché fu vecchio;
lenti i rintocchi ella udì delle campane.
"Perché sonano a morto, brave donne?
Odo lente tremar campane nella torre
i bianchi preti odo cantar Dirige.
430 *Chi mai portano essi al camposanto?"*

"Un infelice uomo che qui giunse
or non è molto. Zoppo il suo cavallo,
malato lui: ed egli cadde innanzi
al portal del castello, sì si dice.
435 *Qui fu ricoverato ma stamane*
egli morì; e passa ora per la via
che ognuno passar deve, onde giacere in chiesa
sul catafalco innanzi all'altar grande."

Con occhi bui e fondi le guardò
440 e piangere le vide là, nell'ombra.
"Egli era alto e bello, e certo prode,
ovver dev'esser dolorosa storia
che lo riguarda e voi non rivelate,
se per un forestiero sì piangete!
445 *Che più di me sapete? Oh, parlate!"*
Ma esse si voltaron senza dar risposta.
Ed ella disse: *"Ahimè, potessi io dormire*
questa notte, ovver piangere potessi!"
Ma ella inquieta fu tutta la notte

450   and in her limbs a fever burned;
      and yet when sudden under sun
      a fairer morning was begun,
      "*Good folk, to church I wend,*" she said.
      "*My raiment choose, or robe of red,*
455   *or robe of blue, or white and fair,*
      silver and gold – I do not care."
      "*Nay, lady,*" said they, "*none of these.*
      The custom used, as now one sees,
      for women that to churching[12] *go*
460   *is robe of black and walking slow.*"

      In robe of black and walking bent
      the lady to her churching went,
      in hand a candle small and white,
      her face so pale, her hair so bright.
465   They passed beneath the western door;
      there dark within on stony floor
      a bier was covered with a pall,
      and by it yellow candles tall.
      The watchful tapers still and bright
470   upon his blazon cast their light:
      the arms and banner of her lord;
      his pride was ended, vain his hoard.

      To bed they brought her, swift to sleep
      for ever cold, though there might weep
475   her women by her dark bedside,
      or babes in cradle waked and cried.

      There was singing slow at dead of night,
      and many feet, and taper-light.

450 e nelle membra febbre le bruciava;
     e quando poi di colpo, sotto il sole,
     ebbe principio un più bel mattino:
     "*In chiesa io vado, brave donne,*" disse.
     "*Un abito scegliete, che sia rosso*
455 *oppure azzurro, o bianco e leggiadro,*
     d'argento e d'oro – tutto m'è uguale."
     Disser: "*Signora, no, nessun di questi.*
     L'uso che or si vede per le donne
     che vanno in chiesa a render grazie
460 *è nera la veste, e lento il passo.*"

     In nera veste e camminando china,
     la dama in chiesa andò a render grazie,
     reggendo in mano una candela bianca,
     pallido il viso e fulgida la chioma.
465 Passaron per la porta a settentrione;
     nel buio, là, sul pavimento ch'è di pietra,
     un catafalco era coperto da un sudario,
     e accanto a esso eran candele alte e gialle.
     Vigili e fermi, i luminosi ceri
470 gettavan luce sul blasone suo:
     del suo signor le armi e lo stendardo:
     finita la fierezza, vano il suo tesoro.

     A letto la portaron, che dormisse presto,
     per sempre fredda, seppure là piangesser
475 le dame sue accanto al letto scuro,
     e desti i bimbi urlasser nella cuna.

     Vi fu un lento cantar nel mezzo della notte,
     e molti passi e luce anche di ceri.

At morn there rang the sacring knell;
480 and far men heard a single bell
toll, while the sun lay on the land;
while deep in dim Broceliande
a silver fountain flowed and fell
within a darkly woven dell,
485 and in the homeless hills a dale
was filled with laughter cold and pale.

Beside her lord at last she lay
in their long home beneath the clay;
and if their children lived yet long,
490 or played in garden hale and strong,
they saw it not, nor found it sweet
their heart's desire at last to meet.

In Brittany beyond the waves
are sounding shores and hollow caves;
495 in Brittany beyond the seas
the wind blows ever through the trees.

Of lord and lady all is said:
God rest their souls, who now are dead!
Sad is the note and sad the lay,
500 but mirth we meet not every day.
God keep us all in hope and prayer
from evil rede[13] and from despair,
by waters blest of Christendom
to dwell, until at last we come
505 to joy of Heaven where is queen
the maiden Mary pure and clean.

Risonò nel mattino il funebre rintocco;
480   una campana sola udì ogni uomo
da lungi, ed era solatia la terra;
mentre nel fondo di Broceliande
scorreva argentea fonte, e ricadea,
entro una valle di buio intessuta,
485   e una valletta fra quei colli desolati
d'una risata fredda e pallida era piena.

Accanto al suo signore alfine ella giacque,
nella dimora lor sotto l'argilla;
e se a lungo vivessero i lor figli,
490   se tra il verde giocasser sani e forti,
essi non vider mai, né a lor fu dolce
vero vedere alfin del cuore il desiderio.

Là, in Bretagna, là oltre le onde
son risonanti prode e cave grotte;
495   là, in Bretagna, là, oltre i mari,
tra gli alberi trascorre sempre il vento.

Or tutto è detto del signor, della sua dama:
essi son morti e Dio dia loro quiete!
Triste è la melodia, e triste è il lai,
500   ma l'allegria non incontriamo noi ogni giorno.
Ci guardi Dio, in speme e con preghiere,
dalla disperazione e il mal consiglio;
presso le acque sante del cristiano credo
viver ci faccia, insin che giungeremo
505   alla gioia del Ciel, dov'è regina
la pura e immacolata Vergine Maria.

NOTE E COMMENTO

TERRA DI BRETAGNA OLTRE I MARI (v. 1). Bretagna, la "Piccola Bretagna", l'Armorica. Parte occidentale della Francia, nella quale si stanziarono gli esuli britannici dopo che gli anglosassoni, dal quinto secolo, si erano spinti, con le loro incursioni, fino alle estreme parti occidentali dell'isola della Gran Bretagna. Tolkien ci tiene a identificare come bretone l'ambiente del suo poemetto.

ARPISTI BRETONI (v. 12). Qui Tolkien non distingue l'uso di *Briton* e di *Breton*.

STREGA (v. 27). Nonostante l'ambiente bretone e le parole bretoni che compaiono nel titolo, Tolkien sceglie di usare la parola inglese (*witch*), la quale deriva dall'antico inglese *wicce*, per presentare per la prima volta la sua donna fatata. Può darsi che volesse approfittare delle connotazioni di "vecchia, brutta, curva" che sono tradizionalmente associate a questa parola.

INNANZI ALLA SUA GROTTA ESSA SEDEVA (v. 40). La grotta è un luogo tradizionalmente legato alle fate. In *The Fairy-*

Faith in Celtic Countries, Walter Evans-Wentz scrive che "a differenza della maggior parte delle fate equoree, la *Fée* vive in una grotta [...] secondo Villemarqué [...] uno di quegli antichi monumenti chiamati, in bretone, *dolmen* oppure *tí* (dimora) *ar corrigan*" (Walter Evans-Wentz, *The Fairy-Faith in Celtic Countries*, s.l., University Books, 1966, p. 210).

UNA FIALA DI VETRO (v. 70). Solitamente, un recipiente alto e stretto, un contenitore per un medicamento o una pozione.

LIQUIDO (v. 73). Dal latino *philtrum*, dal greco *phíltron*, "pozione d'amore".

FRORE ("gelida", *N.d.T.*) (v. 75). Participio passato arcaico di *freeze*, dal quale *frozen*, gelido.

"OH NO, VEDREMO!" (v. 80). Si veda il commento di Christopher Tolkien nella sua nota. Il discorso diretto segnalato dal carattere corsivo compare per la prima volta nel dattiloscritto corretto ed è ripreso nella versione pubblicata. Poiché le versioni manoscritte sono scritte da Tolkien a mano, in corsivo, non vi è alcuna possibilità di distinguere la narrazione dal discorso diretto.

"ITROUN MIA" (v. 119). Questa è la prima occorrenza nel testo del titolo bretone "signora" (in originale *Lady*, *N.d.T.*). Dal modo in cui lo usa Tolkien, esso appare quasi un nome proprio. Dall'inizio alla fine del poemetto, il signore e la signora si rivolgono l'un l'altro usando questi titoli bretoni.

"CERVO DI ROSSASTRO PELO" (v. 225). Che ha un manto di un color giallo rossastro. Dal medio inglese *falwe*, giallastro, antico inglese *fealo*.

BROCELIANDE (v. 254). Era, questa, la grande foresta dell'antica Bretagna, ove Merlino dimorava con la fata Niniane e ove anche adesso, secondo la leggenda, egli giace imprigionato sotto una pietra. La foresta sopravvive tutt'oggi, sebbene la sua dimensione si sia di molto ridotta, ed è chiamata la foresta di Paimpont, nella Bretagna centrale.

La foresta era un *topos* dei *romances* medievali, ed era un paesaggio contiguo al mondo reale ma da esso separato, un mondo "altro" che, in certe circostanze, poteva divenire l'Altro Mondo del mito celtico. Unendo in sé aspetti reali e simbolici, la foresta divenne una costruzione letteraria con le proprie regole e le proprie caratteristiche. Dante sfruttò appieno l'"alterità" della foresta e Shakespeare non era all'oscuro della sua funzione quale ambiente ove accadono eventi insoliti o magici.

In una lunga e nobile linea di successione, le foreste di Tolkien – il Boscuro, Nan Elmoth, Doriath, la Vecchia Foresta, Lórien, Fangorn – sono alcune delle più recenti. Tolkien usò il nome *Broceliand*, che presto mutò in *Broseliand*, nel suo *Lai del Leithian*. Nel settembre 1931 il nome era già diventato, e tale rimase in seguito nella sua mitologia, *Beleriand*. Mentre la connessione di *Broceliande* appare chiara, non dovremmo passar sotto silenzio un'altra connessione che Tolkien potrebbe aver avuto presente, ossia il nome *Belerion*, termine usato da Diodoro Siculo nel primo secolo a.c. per indicare l'angolo della Gran Bretagna che ora è conosciuto come Cornovaglia, una roccaforte celtica. Il modo in cui è scritto è più vicino al *Beleriand* di Tolkien che al più attestato *Broceliand*.

BIANCA CERVA (v. 260). Non rossastra, come al v. 225. Il colore della cerva la identifica come una creatura appartenente all'Altro Mondo. Nelle ballate e nei racconti medievali è un motivo molto comune quello del cacciatore che insegue una cerva sfuggente solo per vederla poi mutarsi in una donna bellissima. Il *Lai di Lanval* di Maria di Francia, il quale narra di un uomo che incontra due donne fatate presso un fiume, è, probabilmente, basato sul più antico *lai* bretone di *Graelent*, il cui protagonista insegue una cerva bianca per un bosco sino al luogo ove le fanciulle fatate fanno il bagno in una fonte (si veda *infra*, LÀ RILUCEA LA FONTE DELLA FATA). All'eroe irlandese Fionn mac Cumhal la sposa apparve nella forma di una cerva. Una delle funzioni di tale animale è condurre un mortale nel fondo di un bosco, che è, secondo la tradizione, un punto di contatto con l'Altro Mondo.

LÀ RILUCEA LA FONTE DELLA FATA (v. 284). La fonte e la caverna presso le quali è la fata sono tradizionali punti d'ingresso nell'Altro Mondo.

"OH FATA TU MALIGNA!" (in originale *O Corrigan!*, *N.d.T.*) (v. 311). Questa è la prima occorrenza, nel poemetto, della parola bretone che lega *Aotrou e Itroun* alle due poesie che lo precedono e che sono presentate nella sezione successiva. *Corrigan*, a volte scritto *Korrigan* o *Gorrigan*, con le varianti *Corrikêt* o *Corriganed*, è un nome che si usa comunemente in modo interscambiabile con il francese *fée*, "fata". In *Celtic Folklore*, John Rhys cita il bretone *korr*, "un nano, una fata, un minuscolo stregone" (John Rhys, *Celtic Folklore: Welsh and Manx*, 2 voll., New York-London, Johnson Reprint, 1971, vol. II, p. 671). Nel libro *Ballads and Songs of Brittany* di Tom Taylor, sua traduzione di *Barzaz-Breiz* di Villemarqué, il termine è fatto derivare da *kor*, "nano", e *gan*, "genio", "spirito". Il *Dictionary of Celtic Mythology* di James MacKillop, definisce la *corrigan* come una "fata lasciva, capricciosa e vivace che appartiene al folklore celtico, la quale desidera unirsi sessualmente agli umani", e che spesso si trova "presso sorgenti, fonti, dolmen e menhir, specialmente nella foresta di Broceliand" (James MacKillop, *Dictionary of Celtic Mythology*, Oxford, Oxford University Press, 1998, p. 256).

"TU MI RICAMBIERAI QUI CON L'AMORE" (v. 317). Tolkien presenta qui il motivo folkloristico nominato nella voce precedente, quello della donna fatata che cerca di sedurre un uomo mortale, come si diceva facessero le fate maligne (le *corrigans*, *N.d.T.*).

DELLA SACRA CAMPANA (v. 350). Suonata al momento dell'elevazione dell'ostia durante la messa.

"*DIRIGE*" (v. 429). Termine latino che significa "guidare, dirigere". È la prima parola del servizio cattolico per i defunti: *Dirige, Domine, deus meus, in conspectu tuo viam meam* ("Guida, oh Signore mio Dio, la mia via fino al tuo cospetto"). *Dirige* appare due volte nelle opere che Tolkien scrisse nella parte centrale della sua produzione, una qui, in *Aotrou e Itroun*, e una nel *Ritorno di Beorhtnoth*, dove i monaci di Ely intonano inni mentre portano via dal campo di battaglia il corpo di Beorhtnoth. In entrambi i casi, il *Dirige* segue un elemento pagano, e vi si oppone, sia esso il trionfo della fata maligna al momento della morte del signore o la vittoria degli scandinavi a Maldon.

UNA RISATA FREDDA E PALLIDA (v. 486). La fredda risata della fata si ode cinque volte nel corso del poemetto ed è in netto contrasto con l'allegria e la risata del signore e della signora. Essa diviene così un *Leitmotiv*, una sorta di tema del fato che si pone sia come presagio sia come commento al destino del signore, e che segnala l'ostilità del mondo fatato verso i mortali.

LA PURA E IMMACOLATA VERGINE MARIA (v. 506). Sebbene il poemetto finisca con un'invocazione alla "pura e immacolata Vergine Maria", Tolkien dà alla *corrigan*, ossia alla fata maligna, l'ultima risata.

PARTE SECONDA
LE POESIE DELLA FATA MALIGNA

INTRODUZIONE

Per risalire a come Tolkien sia giunto alla versione finale del *Lai di Aotrou e Itroun* dobbiamo tornare a quelle che paiono essere le sue prime incursioni in quel territorio, ossia le poesie della fata maligna (le *Corrigan poems*, N.d.T.). Chiaramente intese come una coppia di testi – Christopher Tolkien le descrisse come una poesia composita –, esse sono una sorta di dittico, opere da accostare l'una all'altra, legate da un titolo unico, *La fata maligna*. Il tema generale di entrambe le poesie è il medesimo di *Aotrou e Itroun*, ossia l'interazione di una fata, una fata maligna con il mondo umano. Nonostante ciò, le trame delle parti I e II sono del tutto differenti, ed è solo la presenza della fata maligna che le collega.[1]

Mentre nel più lungo *Lai* Tolkien usa in modo interscambiabile i termini "strega", "fata" e "fata maligna" (*witch*, *fay* e *corrigan*) qui, in queste poesie più brevi, egli usa soltanto la parola bretone. *Corrigan*, o *korrigan*, è il diminutivo femminile del termine bretone *corr* o *korr*, "nano", e sembra derivare dall'idea che questi esseri si fossero rimpiccioliti rispetto alla loro statura originaria. Secondo una studiosa di folklore, la britannica

Katharine Briggs, è perché "sono ansiose di dar nuova linfa alla loro stirpe, che si stava assottigliando" che "le Korrigans [il modo di scrivere la parola non è fisso] compiono ogni sforzo per rubare dei bambini mortali e per sedurre uomini mortali sì che essi divengano loro amanti" (Katharine Briggs, *The Vanishing People*, New York, Pantheon Books, 1978, p. 156). La vicenda della *Fata maligna I* è incentrata sulla prima di queste situazioni: il furto di un bimbo mortale e la sua sostituzione con il figlio di una fata. La vicenda della *Fata maligna II*, come quella del testo pubblicato di *Aotrou e Itroun*, tratta della seconda circostanza, ossia del tentativo di una donna fatata di sedurre o intrappolare un uomo mortale, con conseguenze fatali per l'uomo. La presenza di una fonte o sorgente in entrambe le poesie mostra che la fata maligna era una fata acquatica, che dimorava in luoghi associati all'acqua, o nei loro pressi.

LA FATA MALIGNA I

Come ha segnalato Christopher Tolkien, una nota a matita scritta nella grafia di Tolkien, dove si legge: "suggerita da *Ar Bugel Laec'hiet*, un lai della Cornovaglia", appare sul margine all'inizio della bella copia di questa poesia.[1] Si tratta di un riferimento alla voce IV dei *Chants Mithologiques*, la prima sezione di *Barzaz-Breiz* di Villemarqué. Il titolo bretone, *Ar Bugel Laec'hiet*, è accompagnato dalla nota *Ies Kerne* ("di Kerne, o della Cornovaglia"). La traduzione francese di Villemarqué, stampata a fronte, è intitolata *L'enfant supposé* ed è accompagnata da una nota, "Dialetto della Cornovaglia". La regione citata da Villemarqué come Kerne o Cornovaglia e segnata da Tolkien è un'area precisa sulla costa sudoccidentale della Bretagna, che ha un proprio dialetto, delle proprie tradizioni e un proprio folklore.

Nonostante l'ambiente ben specifico, la vicenda in sé – ossia il motivo folkloristico tradizionale del bambino scambiato e lo stratagemma della madre per smascherarlo e riavere il proprio figlio – appare in racconti popolari e in fiabe in tutte le regioni dell'Europa occidentale e delle isole britanniche. Oltre a quella di Villemarqué, vi è la *Nain de Kerhuiton* ("La fata di Kerhuiton") di J. Loth;

inoltre, si possono trovare versioni di questa storia nei *Celtic Fairy Tales* di Joseph Jacobs e nelle *Kinder- und Hausmärchen* dei fratelli Grimm.

La fata maligna II è in terzine rimate seguite da un quarto verso più corto (sempre rimato). Tutti i versi sono in discorso diretto. Il testo che segue è riprodotto così com'è nella bella copia di Tolkien; nella sezione del commento, però, ho segnalato le modifiche che, apportate tra l'abbozzo e la versione finale, cambiano in maniera significativa un aspetto della poesia (si veda *infra*, pp. 81-85).

The Corrigan

I

"Mary on earth, why dost thou weep?"
My little child I could not keep:
A corrigan stole him in his sleep,
And I must weep.

To a well they went for water clear,
In cradle crooning they left him here,
And I found him not, my baby dear,
Returning here.

In the cradle a strange cry I heard.
Dark was his face like a wrinkled toad;
With hands he clawed, he mouthed and mowed,
But made no ward.

And ever he cries and claws the breast:
Seven long years, and still no rest;
Unweaned he wails, though I have pressed
My weary breast.

O Mary Maiden, who on throne of snow
Thine own babe in thine arms dost know,
Joy is round thee; but I have woe
And weep below.

67

THE CORRIGAN

I

"Mary on earth, why dost thou weep?"
"My little child I could not keep:
A corrigan stole him in his sleep,
4   And I must weep.

To a well they went for water clear,
In cradle crooning they left him here,
And I found him not, my baby dear,
8   Returning here.

In the cradle a strange cry I heard.
Dark was his face like a wrinkled toad;
With hands he clawed, he mouthed and mowed,[1]
12   But made no word.

And ever he cries and claws the breast:
Seven long years, and still no rest;
Unweaned he wails, though I have pressed
16   My weary breast.

LA FATA MALIGNA

I

"Maria terrena, perché piangi?"
"Il mio bambino non riuscii a tenere:
nel sonno lo rubò fata maligna
4   e pianger debbo.

Andarono alla fonte a prender acqua chiara,
nella culla lasciandolo – ed ei cantava,
piano, e il caro bimbo mio più non trovai,
8   qui ritornando.

Ben strano grido udii io dalla culla.
Avea la faccia scura, come un rospo vizzo;
mani contorte e strane smorfie sulla bocca,
12   ma non parlava.

Sempre gridando, ei s'artiglia il petto;
son sette lunghi anni, e non mai requie;
ei geme non svezzato, eppure io accostai
16   lo stanco seno.

O Mary Maiden, who on throne of snow
Thine own babe in thine arms dost know,
Joy is round thee; but I have woe
20   And weep below.

Thy holy child thou hast on knee,
But mine is lost. A! where is he?
Mother of pity, pity me
24   Who cry to thee!"

"Mary on earth, do not mourn!
Thy child is not lost. He will return.
Go to the hermit that dwells by the burn,
28   And counsel learn."

"Why dost thou knock? Why dost thou weep?
Why hast thou climbed my path so steep?"
"My little child I could not keep,
32   And ever I weep."

"Bid them grind an acorn, bid them feign
In a shell to cook it for master and men
At midday hour. If he sees that then,
36   He will speak again.

And if he speaks, there hangs on thy wall
A cross-hilt sword old and tall –
Raise it to strike and he will call,
40   And the spell will fall."

"What do they here, mother of me?
I marvel much at what I see

Oh Vergine Maria, che su trono di neve
il tuo bambino tieni fra le braccia,
la gioia ti circonda, mentr'io soffro
20   e quaggiù piango.

Sulle ginocchia tieni il santo bimbo,
mentre perduto è il mio. Ahi, dov'è mai?
Abbi pietà di me, tu madre di pietà:
24   a te io grido!"

"Non disperare, tu, Maria terrena.
Perduto non è il bimbo. Ei tornerà.
Dall'eremita vai ch'è presso il rivo:
28   da lui apprendi."

"Perché tu bussi? Perché piangi?
Perché salisti l'erto mio sentiero?"
"Il mio bambino non riuscii a tenere,
32   e sempre piango."

"Macinar fa' una ghianda e fingi poi
di cuocerla in un guscio, per padroni e servi,
a mezzodì. E se ciò egli vedrà,
36   oh parlerà.

Se parlerà, è appesa là al tuo muro
spada lunga ed antica, che ha l'elsa a croce –
sollevala a colpire ed egli urlerà
40   e l'incanto cadrà."

"Che fanno essi qui, oh madre mia?
Molto mi meraviglia ciò che vedo

In this kitchen to-day. What can it be?
44   That I here see?"

"What wouldst thou son? – on embers hot
Meal for men in a white pot
They grind and cook, that our food be got.
48   Why should they not?"

"Mast[2] in a shell for many men!
I saw the first egg before the white hen,
And the acorn before the oak in den[3] –
52   There were strange things then.

The land of Brezail was fair, I trow:
I saw once silver birds enow,
And acorns of gold on every bough.
56   This is stranger now!"

"Thou hast seen too much, too much, my son!
Thy words are wild, thy looks are wan.
This sword shall make thy dark blood run,
60   Thou art not my son!"

"A! stay, a! stay thy cruel hand!
Soft thy son lay in our land,
But thou wouldst slay one who did stand
64   A prince in our land."

"Mary on earth, what didst thou find
When thou didst look in the room behind?
In cloth of silver who did wind
68   The child of thine?"

72

nella cucina oggi. Che cos'è mai?
44   Che vedo qui?"

"Che chiedi, figlio? Sulle braci ardenti
si tritura e si cuoce, in bianca pentola,
del cibo che sia pasto a tutti noi.
48   Ché non dovrebber?"

"Per così tanti, noci in un sol guscio!
Io vidi il primo uovo innanzi alla gallina bianca,
e dinanzi alla quercia la ghianda nella valle.
52   Cose ben strane allor.

So che amena era la terra di Brezail:
d'argentei uccelli io ne vidi molti,
ed eran su ogni ramo delle ghiande d'oro.
56   Ma questo è ancor più strano."

"Troppo vedesti, troppo, figlio mio!
Tu hai parole deliranti, e opachi sguardi.
Per questa spada scorrerà il tuo buio sangue:
60   non sei mio figlio!"

"Ferma, oh ferma la crudele mano!
Tuo figlio bene stette nella nostra terra
e uccidere vorresti tu chi fu
64   un principe in nostra terra."

"Maria terrena, che trovasti mai
quando guardasti tu nell'altra stanza?
In tessuto d'argento chi avvolse mai
68   il figlio tuo?"

"I looked on my child with heaven's bliss,
I stooped to the cradle him to kiss,
And he opened the sweet eyes of his
72   For me to kiss.

He sat him up and arms he spread,
He caught my breast and to me said:
'A! mother of me, I am late in bed!
76   My dream is sped.'"

"Guardai mio figlio con celeste gaudio,
mi chinai sulla culla per baciarlo,
ed egli aprì gli occhi suoi dolci
72 ch'io li baciassi.

Drizzandosi a seder, le braccia aperse,
al sen mi si aggrappò e disse:
'Oh madre mia, troppo rimasi a letto!
76 Svanito è il sogno.'"

NOTE E COMMENTO

Sebbene esistano storie simili, incentrate su bambini scambiati in culla, in altre mitologie celtiche. Tali racconti sono scritti in prosa, non ho rinvenuto altre versioni in poesia oltre a quella di Villemarqué.

"MARIA TERRENA" (v. 1). Con queste due parole d'invocazione, la voce che apre la poesia definisce la situazione, ossia la preoccupazione della Maria celeste per la madre terrena; e indica il conflitto tra il folklore pagano e il cristianesimo.

"NEL SONNO LO RUBÒ FATA MALIGNA" (v. 3). Thomas Keightley, nel suo *The Fairy Mythology* (1882), precisamente nella sezione dedicata alla *Brittany* ("Bretagna"), cita Vellemarqué e fornisce una sinopsi della

storia di un bambino scambiato in culla. Per poter riavere il proprio bambino, la madre riceve dalla Vergine, alla quale si è rivolta pregando, questo consiglio: deve preparare un pasto per dieci lavoratori della fattoria in un guscio d'uovo, il che spingerà il Korrid [*sic*] a parlare; ella allora dovrà frustarlo fino a farlo gridare e, quando egli lo farà, sarà portato via (Thomas Keightley, *The Fairy Mythology*, London, George Bell & Sons, 1882, p. 436).

Una storia diversa, nella quale è la madre, e non il bambino, a esser portata nel Faërie, il mondo fatato, si trova in una narrazione scozzese sull'Altro Mondo fatato, Il regno segreto. L'autore, il reverendo Robert Kirk, ministro di Aberfoyle, in Scozia, scrisse, nel 1691, che

[s]ono ancora vive donne che raccontano di esser state portate via quando erano di parto ad allattare fairies bambini mentre al loro posto veniva lasciata una figura perdurante e vorace di loro stesse, come un loro riflesso nello specchio (Robert Kirk, *Il regno segreto*, Milano, Adelphi, 1980, pp. 20-21).

"ANDARONO ALLA FONTE A PRENDER ACQUA CHIARA" (v. 5). La poesia non chiarisce chi siano questi "essi" ma, nel testo bretone originale e nella traduzione francese, non si tratta di un gruppo anonimo bensì della madre che ha lasciato solo il proprio bambino. Nella traduzione francese di Villemarqué si legge che la madre *En allant à la fontaine puiser de l'eau, je laissai mon Laoik dans son berceau*, ossia: "Andando alla fonte per trarne acqua, lasciai il mio Laoik [un nome proprio] nella culla".

Le poesie della fata maligna

"COME UN ROSPO VIZZO" (v. 10). L'aspetto del bambino fatato è convenzionale. Contraddicendo uno degli epiteti tradizionali degli esseri fatati, indicati come il "Bel Popolo" (in inglese *Fair Folk*, N.d.T.), i bambini scambiati in culla sono tradizionalmente descritti come brutti, rugosi, piccoli in modo preternaturale, e lenti a crescere.

"OH VERGINE MARIA" (v. 17). Questa preghiera nasce dalla credenza, descritta da Katharine Briggs, che le fate maligne "provano [...] un grande odio per tutti i simboli cristiani e, in particolare, per la Vergine Maria, la quale prende sotto la sua speciale protezione i bimbi umani che le fate maligne [*Korrigans*] cercano di rubare" (Briggs, *The Vanishing People*, cit., p. 156).

"UNA SPADA CHE HA L'ELSA A CROCE" (v. 38). L'impugnatura a forma di croce rende la spada un simbolo cristiano e, quindi, odioso per la fata maligna (si veda *supra*, OH VERGINE MARIA, e *infra*, l'analisi delle revisioni, pp. 82-84). Naturalmente, essa è fatta di ferro, un materiale ostile alle fate, e spesso usato per scacciarle.

"IL PRIMO UOVO" (v. 50), che rivela l'età del bambino scambiato in culla, è un tropo fisso nella tradizione legata alle fate. La *Nain de Kerhuiton* di Loth, una raccolta di storie folkloristiche bretoni, riporta un episodio simile.

Vedendo l'acqua bollire in un certo numero di gusci d'uovo sistemati dinanzi a un fuoco, un *polpegan* [un bambino scambiato in culla, *N.d.T.*] prova uno stupore talmente forte che, senza volere, parla per la prima volta e dice: "Ecco, ho quasi cento anni e mai ho visto ancora una cosa simile!" (Joseph Loth, *Le Nain de Kerhuiton*, in Evans-Wentz, *The Fairy-Faith*, cit., p. 212)

"LA TERRA DI BREZAIL" (v. 53). Brezail, o Hy-Brezail, era il nome di uno degli Altri Mondi celtici e appare nei miti celtici come una terra magica posta a occidente. In Villemarqué compare nella forma bretone *Brezal* e nella sua resa francese *Brézal*. Il commento di Tolkien, nel suo *Sulle fiabe*, che Hy-Breasil ha abbandonato la sua condizione mitica e si è ridotto sino a divenire il "semplice Brasile, la terra del legno rosso" (J.R.R. Tolkien, *Il Medioevo e il fantastico*, a cura di Gianfranco de Turris, traduzione di Carlo Donà, Milano, Bompiani, 2012, p. 170), suggerisce il suo fastidio dinanzi alla razionalizzazione storica del mito.

"ARGENTEI UCCELLI"; "GHIANDE D'ORO" (vv. 54-55). Questi elementi ricordano gli uccelli bianchi e le bacche e i frutti magici visti dai marinai degli *imramma* ("viaggi") celtici, quali la *Navigatio* di san Brandano e i molto simili *Voyages* di Bran e *Máel Dúin*. L'*Imram* dello stesso Tolkien, messo come appendice a *The Notion Club Papers* (J.R.R. Tolkien, *The History of Middle-Earth*, vol. IX, *Sauron Defeated*, ed. by Christopher Tolkien, London, HarperCollins*Publishers*, 1992, pp. 296-299) e basato sulla *Navigatio*, cita un albero che ha quelle che sembrano essere foglie bianche che, d'improvviso, "si levarono in un volo volteggiante" (*ibid.*, p. 298).

"NOSTRA TERRA" (vv. 62 e 64). Con queste parole, il bambino scambiato si riferisce all'Altro Mondo celtico, che ha una propria gerarchia regale e che viene generalmente immaginato come contiguo a questo mondo ma a esso invisibile. L'Altro Mondo è spesso sito sul mare oppure sotto un lago, ma anche caverne, grotte e foreste possono costituire un ingresso verso il mondo fatato, e gli esseri umani possono attraversarne il confine senza accorgersene.

"NELL'ALTRA STANZA" (v. 66). Nei casi dei bambini scambiati in culla, le fate maligne possono chiaramente entrare nel mondo reale e lasciarlo a loro piacimento.

"TESSUTO D'ARGENTO" (v. 67). Il bambino umano, ancora avvolto in fasce che indicano la regalità fatata, è stato restituito in modo surrettizio dalla fata maligna nel momento in cui l'incantesimo cessa.

La maggior parte delle revisioni che, dagli abbozzi, portano alla bella copia sono di poca importanza – il cambiamento di una parola o di un'espressione qui e là, per esempio il passaggio da *Mari goant* e *Mary la belle* della fonte bretone e francese a "Maria terrena" di Tolkien. Tuttavia, un cambiamento – o una successione di cambiamenti – da una prima stesura alla copia finale comporta un distacco radicale dalla fonte bretone. Vale la pena di segnalare sia il cambiamento sia la sua natura. Nella copia finale, questi sono i vv. 37-40:

> Se parlerà, è appesa là al tuo muro
> spada lunga ed antica, che ha l'elsa a croce –
> sollevala a colpire ed egli urlerà
> e l'incanto cadrà.

La prima stesura è del tutto differente:

> E se parlerà, picchialo per bene,
> picchialo e fagli male finché non si lamenti.
> Verranno al suo richiamo, quasi ad incanto;
> non mancheranno!

Gli ultimi versi sono una traduzione fedele del testo bretone, che riporto qui per dare un'idea della forma e del sapore della lingua originale, quella lingua che condusse Tolkien alla scoperta della specifica cultura il cui mito e il cui folklore sono in essa radicati.

> Pa'n deuz prezeget flemm-han, flemm!
> Pa eo bet flemmet ken, a glemm;
> pa eo klevet, he lammer lemm.
> (Théodore Hersart de La Villemarqué, *Barzaz-Breiz: Chants Populaire de la Bretagne*, Paris-Leipzig, Franck, 1846, vol. I, p. 52)

Ed ecco il passo della traduzione francese di Villemarqué:

Quando avrà parlato, fustigatelo, fustigatelo per bene; quando sarà stato fustigato, allora griderà; quando sarà stato udito, sarà subito portato via (*ibid.*, p. 53).

Il tema del picchiare è, apparentemente, un modo più comune per esorcizzare il bambino scambiato in culla di quello della spada con l'elsa a forma di croce. È proprio questo il finale che Loth riporta per l'episodio che riguarda il guscio d'uovo descritto poco sopra. Quando il bambino scambiato in culla parla e rivela la propria età la madre reagisce picchiandolo.

"Ah, figlio di Satana!" grida allora la madre, uscendo dal luogo dove si era nascosta e picchiando il *polpegan* – il quale, grazie alla prova del guscio d'uovo, è stato indotto con l'inganno a rivelare la sua natura demoniaca (Loth, *Le Nain de Kerhuiton*, cit., p. 212).

La decisione di Tolkien di sostituire l'atto di picchiare selvaggiamente il bambino scambiato in culla con la minaccia della spada con l'elsa a forma di croce pone, in modo esplicito, l'elemento cristiano contro l'elemento magico pagano, e si armonizza maggiormente con il dialogo tra la Maria terrena e la Maria celeste che è alla base della poesia. Un simile spostamento si nota nei vv. 57-60, che, nella bella copia di Tolkien, sono:

Troppo vedesti, troppo, figlio mio! Tu hai parole deliranti, e opachi sguardi.

Per questa spada scorrerà il tuo buio sangue:
non sei mio figlio!

Laddove l'abbozzo precedente suona:

Troppo vedesti, troppo, figlio mio!
Deliranti hai parole e opachi sguardi.
Ti picchierò, ti picchierò a sangue.
Ah, piangi, figlio mio!

Ancora, la versione precedente si avvicina molto alla poesia bretone, sebbene Tolkien abbia sostituito gli effetti onomatopeici dell'originale con una descrizione.

Re draou a welaz-te, va map;
Da flap! da flip! da flip! da flap!
Da flip, potr koz! ha me da grap!
(Villemarqué, *Barzaz-Breiz*, cit., p. 52)

Il che è replicato nella traduzione di Villemarqué:

Tu hai visto troppe cose, figlio mio: *clic! clac!*
clic! clac! Piccolo vegliardo, ah, ti ho preso!
(*ibid.*, p. 53)

Lo stesso tono si ritrova nei vv. 61-64 della bella copia di Tolkien:

Ferma, oh ferma la crudele mano!
Tuo figlio bene stette nella nostra terra
e uccidere vorresti tu chi fu
un principe in nostra terra.

Le poesie della fata maligna

Versi che, nella versione precedente, erano:

Ferma, oh ferma la crudele mano!
Tuo figlio bene stette nella nostra terra
e tu picchi qualcuno che un tempo
fu Re in nostra terra!

Qui, sia la bella copia di Tolkien sia il suo abbozzo si discostano sensibilmente dalla fonte bretone. Mentre la bella copia elimina le ultime tracce della violenza fisica, un cambiamento dettato dai mutamenti nelle stanze precedenti, sia tale copia sia l'abbozzo coincidono per questo particolare: è il bambino scambiato nella culla ad appartenere alla stirpe reale del mondo fatato (egli è o principe o re), mentre sia nel testo originale bretone sia nella resa francese di Villemarqué era il bambino umano a essere il re della terra fatata ("io non farò alcun male al tuo; è il nostro re nel nostro paese").

Sko ket gant-han, lez-han gan-i;
Na rann-me droug da da hini,
'Ma brenne r bro-ni gan-e-omp-ni
(*ibid.*, p. 52)

Non picchiarlo, rendimelo; io non farò alcun male al tuo; è il nostro re nel nostro paese
(*ibid.*, p. 53)

LA FATA MALIGNA II
Un lai bretone – a imitazione di *Aotrou Nann Hag ar Gorrigan*, un lai del Leon

Il sottotitolo dato qui da Tolkien segnala una fonte in modo molto più preciso di quanto faccia l'annotazione a margine della *Fata maligna I*. *Aotrou Nann Hag ar Gorrigan* ("Lord Nann e la fata maligna") è la terza composizione nella raccolta di Villemarqué. Come *Ar Bugel Laec'hiet*, è stampata sia in bretone, con la nota *Es Leon* ("del Léon"), sia in francese, con il titolo francese *Le Seigneur Nann et la Fée* e la nota *Dialecte de Léon* ("Dialetto del Léon"). Come la Cornovaglia, il Léon è una regione precisa della Bretagna, l'estremità occidentale, e, per gli studiosi di folklore, è un'area nettamente distinta, quanto a dialetto, usi, costumi e abbigliamento, dalla Cornovaglia. Nonostante ciò, vi sono ovvie corrispondenze panregionali, com'è messo ben in evidenza dalle ricorrenze della parola *corrigan*.

Come *Ar Bugel Laec'hiet*, questa poesia segue da vicino una fonte bretone, nella quale un signore, divenuto da poco padre di due gemelli, promette di portare alla moglie un cervo dal pelo rossastro per celebrare la nascita del figlio maschio. Egli insegue una cerva che lo conduce alla fonte della fata. Nel tentativo di sedurlo, quest'ultima lo minaccia di morte se egli non vorrà "sposarla". Egli rifiuta e, come ella aveva predetto, muore la "terza mattina". La moglie muore di dolore e i due sono sepolti insieme. Nella storia manca il "freddo avviso" che, nel ben più lungo poemetto *Aotrou e Itroun* di Tolkien, annebbia la mente del signore senza figli e lo spinge a cercare deliberatamente la fata, sì da potersi procurare una pozione magica che dia fertilità. A eccezione di questo particolare, che complica le cose, la vicenda della *Fata maligna II* segue la formula tradizionale tipica di queste fiabe, ossia l'accidentale ingresso di un innocente uomo mortale nel mondo fatato, e le conseguenze che questo comporta; una trama che Tolkien, nel saggio *Sulle fiabe* definì il "Teatro Feerico", quelle rappresentazioni che, stando ad abbondanti testimonianze, gli elfi hanno spesso recitato per gli esseri umani (J.R.R. Tolkien, *Sulle fiabe*, in Id., *Albero e foglia*, traduzione di Francesco Saba Sardi, Milano, Bompiani, 2000, p. 67).

La ballata bretone ha varie versioni simili in altre culture. La racconta di Child presenta tre versioni inglesi nelle quali la fata è una sirena,[1] mentre Villemarqué cita la storia danese *Sire Olaf dans la danse des Elves* (Villemarqué, *Barzaz-Breiz*, cit., p. 46). Per una discussione più approfondita delle altre versioni, si veda *The Sources of "The Lay of Aotrou and Itroun"*, in *Leaves from the Tree: J.R.R. Tolkien's Shorter Fiction*, una raccolta di saggi, di Thomas Alan Shippey e altri, presentati nel Fourth Tolkien Society Workshop e pubblicati dalla Tolkien Society, a Londra nel 1991.

Come *La fata maligna I*, *La fata maligna II* è una ballata, che ha però un tema differente, una lunghezza maggiore, e uno schema di rime più complesso – tre versi con la rima A A A e il ritornello, con rima B, che termina con una sillaba non accentata e rima con il quarto verso della strofa successiva. La bella copia è preceduta da due stesure più brevi, che sono abbozzi con molte cancellature e correzioni poste a margine.

The Corrigan

A Breton Lay — after: "Aotrou Nann Hag ar Gorrigan"
a lay of Leon.

II

See how high in their joy they ride,
The young earl and his young bride!
May nought ever their joy divide,
    Though the world be full of wonder.

There is a song from windows high.
Why do they sing? Light may she lie!
Yestreve there came two babes' cry
    As I stood thereunder.

A manchild and a fair maid
Were as lilies fair in cradle laid,
And the earl to his young wife said :
    "For what doth thy heart hunger?

A son thou hast given me,
And that will I find for thee,
Though I should ride o'er land and lea,
    And suffer thirst and hunger.

For fowl that swims the shallow mere?
From greenwood the fallow deer?"
"I would fain have the fallow deer,
    But I would not have thee wander."

His lance of ash he caught in hand,
His black horse bore him o'er the land.
Under green boughs of Broceliand
    His horn winds faintly yonder.

A white doe startled beneath the leaves,
He hunted her from the forest-eaves;
Into twilight under the leaves
    He rode on ever after.

The earth shook beneath the hoof;
The boughs were bent into a roof,
And the sun was woven in that woof,
    And afar there was a laughter.

(5)

THE CORRIGAN
A Breton Lay – after:
Aotrou Nann Hag ar Gorrigan, a Lay of Leon

II

See how high in their joy they ride,
The young earl and his young bride!
May nought ever their joy divide,
4 Though the world be full of wonder.

There is a song from windows high.
Why do they sing? Light may she lie!
Yestreve there came two babes' cry
8 As I stood thereunder.

A manchild and a fair maid
Were as lilies fair in cradle laid,
And the earl to his young wife said:
12 "For what doth thy heart hunger?

A son thou hast given me,
And that will I find for thee,
Though I should ride o'er land and lea,
16 And suffer thirst and hunger.

LA FATA MALIGNA
Un lai bretone – a imitazione di
Aotrou Nann Hag ar Gorrigan, un lai del Leon

II

Guardateli, con alta gioia, in sella,
il giovin conte e la sua giovin sposa!
Oh nulla turbi mai la loro gioia
4   seppur di strane cose sia ricolmo il mondo.

Or s'ode un canto dalle alte finestre.
Ché mai quel canto? Ch'ella riposi quieta!
Io ieri udii il pianto di due bimbi
8   mentre sotto restavo.

Un maschio ed una femminuccia
quai gigli belli eran nella culla,
e disse il conte alla sua giovin sposa:
12   "Di che il tuo cuore ha fame?

Or tu m'hai dato un figlio
e ciò che vuoi per te io troverò,
dovessi io percorrer terra e mare
16   e patir sete e fame.

For fowl that swims the shallow mere?
From greenwood the fallow deer?"
"I would fain have the fallow deer,
20   But I would not have thee wander."

His lance of ash he caught in hand,
His black horse bore him o'er the land.
Under green boughs of Broceliand
24   His horn winds faintly yonder.

A white doe startled beneath the leaves,
He hunted her from the forest-eaves;
Into twilight under the leaves
28   He rode on ever after.

The earth shook beneath the hoof;
The boughs were bent into a roof,
And the sun was woven in that woof,
32   And afar there was a laughter.

The sun was fallen, evening grey.
There twinkled the fountain of the fay
Before the cavern where she lay,
36   A corrigan of Brittany.

Green was the grass, clear the pool;
He laved his face in water cool,
And then he saw her on silver stool
40   Singing a secret litany.

The moon through leaves clear and cold
Her long hair lit; through comb of gold

Del basso stagno un natante pesce?
Del bosco il cervo dal rossastro pelo?"
"Vorrei il cervo dal rossastro pelo,
20   ma andar vagando non vorrei vederti."

La lancia sua afferrò, ch'era di frassino,
il nero suo destrier via lo menò,
insino ai rami verdi di Broceliande
24   e là risona debole il suo corno.

Sotto le foglie sbigottì una bianca cerva,
ei la cacciò dai margini della foresta;
fin nel crepuscolo di quelle foglie
28   egli ancora avanzò.

Sotto gli zoccoli tremò la terra;
i rami si piegarono a formare un tetto,
e il sole fu intessuto in quella tela;
32   e lungi v'era una risata.

Caduto era il sole e grigia era la sera.
Là rilucea la fonte della fata,
dinanzi alla caverna ov'ella era,
36   una fata maligna di Bretagna.

Verde era l'erba e chiaro era lo stagno,
nell'acqua fresca ei si lavò la faccia,
e poi la vide, su un argenteo scranno,
40   lei che cantava segreta litania.

La luna, tra le foglie chiare e fredde,
le illuminò la chioma; con pettine d'oro

Each tress she drew, and down it rolled
44   Beside her falling fountain.

He heard her voice and it was cold;
Her words were of the world of old,
When walked no men upon the mould,
48   And young was moon and mountain.

"How darest thou my water wan
To trouble thus, or look me on?
Now shalt thou wed me, or grey and wan
52   Ever stand as stone and wither!"

"I will not wed thee! I am wed;
My young wife lieth in childbed,
And I curse the beast that long me led
56   To thy dark cavern hither.

I will not stand here turned to stone,
But I will leave thee cold alone,
And I will ride to mine own home
60   And the white waters of Christendom."

"In three days then thou shalt die,
In three days on thy bier lie!"
"In three days I shall live at ease,
And die but when God doth please
65   In the brave wars of Christendom.

But rather would I die this hour
Than lie with thee in thy cold bower,

96

essa traeva ogni ciocca, e questa scivolava
44   presso la fonte che scorreva.

La voce egli ne udì, ed era fredda;
venivan sue parole dall'antico mondo,
quando non camminava uomo sulla terra
48   ed era giovane la luna, e la montagna.

"E come osi tu l'acqua mia opaca
turbar così, ovvero me guardare?
Or tu mi sposerai, oppure grigio e spento
52   qui avvizzirai per sempre, fatto pietra."

"Io non ti sposerò, son già sposato;
dopo il parto riposa la mia giovin sposa.
E maledico l'animal che mi condusse
56   alla buia tua grotta.

Io qui non rimarrò, mutato in pietra;
ma te io lascerò, e solitaria e fredda,
e verso casa mia cavalcherò,
60   e verso le cristiane e bianche acque."

"Allora fra tre giorni morirai,
fra tre giorni sarai sul catafalco!"
"Io fra tre giorni ancora vivrò in pace,
e sol morrò quando a Dio piaccia,
65   da ardito cristiano combattendo in guerra.

E più caro avrei in quest'ora morire
che con te restar nella fredda tua dimora,

O! Corrigan, though strange thy power
69 In the old moon singing."

"A! mother mine, if thou love me well,
Make me my bed! My heart doth swell,
And in my limbs is poison fell,
73 And in my ears a singing.

Grieve her not yet, do not tell!
Sweet may she keep our children well;
But a corrigan hath cast on me a spell,
77 And I die on the third morning."

On the third day my lady spake:
"Good mother, what is the noise they make?
In the towers slow bells shake,
81 And there is sound of mourning.

Why are the white priests chanting low?"
"An unhappy man to the grave doth go.
He lodged here at night, and at cock-crow
85 He died at grey of morning."

"Good mother, say, where is my lord?"
"My child, he hath fared abroad.
Ere the candles are set upon the board,
89 Thou wilt hear his feet returning."

"Good mother, shall I wear robe of blue
Or robe of red?" "Nay, 'tis custom new

69 maligna fata, seppur strana sia la tua potenza
che nella vecchia luna canta."

"Oh madre mia, se invero tu mi ami,
preparami il letto, ché mi si gonfia il cuore,
e nelle membra ho mortifero veleno,
73 e nelle orecchie un canto.

Duolo non date a lei, nulla le dite!
Che i nostri bimbi dolcemente tenga;
un incanto su me gettò fata maligna
77 e alla terza mattina io morrò."

Disse la mia signora il terzo giorno:
"Oh buona madre, che rumore fanno?
Risonan lente le campane nelle torri,
81 e v'è suono di lutto.

Perché i bianchi preti intonan bassi inni?"
"Uomo infelice se ne va alla tomba.
Ristette qui una notte ma del gallo al canto
85 morì nel grigio del mattino."

"Dimmi, oh buona madre, ov'è il mio signore?"
"Figliola, lungi ha cavalcato.
Pria che sul desco sian messe le candele,
89 udrai il suo passo che a te ritorna."

"Indosserò, oh madre, veste azzurra
o veste rossa?" "No, è l'uso nuovo

To walk to church in sable hue
93 And black weeds wearing."

I saw them pass the churchyard gate.
"Who of our kin hath died of late?
Good mother, why is the earth so red?"
"A dear one is buried. We mourn him dead
98 Our black weeds wearing."

They laid her beside him in the night.
I heard bells ring. There was taper light.
Priests were chanting a litany.
102 Darkness lay upon the land,
But afar, in pale Broceliand
There sang a fay in Brittany.

recarsi in chiesa con colore scuro
93   e con nere le vesti."

Nel camposanto io li vidi entrare.
"Chi della nostra stirpe è morto di recente?
Perché la terra, madre, è così rossa?"
"Un nostro caro è seppellito e noi in lutto
98   vesti nere indossiamo.

Accanto a lui la poser nella notte.
Udii campane e v'era luce, sì, dai ceri.
Intonavano i preti una litania.
102 V'era oscurità sopra la terra
e lungi, nella pallida Broceliande,
cantava una fata là in Bretagna.

NOTE E COMMENTO

DAI MARGINI DELLA FORESTA; FIN NEL CREPUSCOLO DI QUELLE FOGLIE (vv. 26 e 27). L'avanzare del signore lo mostra mentre, cavalcando, supera ignaro un ingresso verso l'Altro Mondo. Gli Altri Mondi celtici sono vari per natura e aspetto ma uno dei più evocativi è la foresta profonda, lontana dal consorzio umano, le cui distese ombrose sono l'ambiente in cui vivono esseri "altri", da uccelli e animali strani a uomini selvaggi e a creature della realtà diversa del mondo fatato.

LÀ RILUCEA LA FONTE DELLA FATA (v. 34). Si noti che questo verso fu mantenuto inalterato nel poemetto finale, *Aotrou e Itroun*. Nella prima versione, la fata maligna è descritta in modo più chiaro come una fata legata all'acqua. La fonte presso la quale siede la *fée* pare essere una di quelle fonti sacre che, come dice Villemarqué, si trovano spesso nei pressi di una *grotte aux Fées*, chiamata *Fontaine de la Fée* o, in bretone, *Feunteun ar corrigan* (Villemarqué, *Barzaz-Breiz*, cit., p. 46).

UNA FATA MALIGNA DI BRETAGNA (v. 36). A differenza del minuscolo ladro di bambini della *Fata maligna I*, la fata maligna di questa poesia rappresenta una figura più tipica del mito che del folklore (sebbene essa appaia in entrambi), la fata di dimensioni umane che si può presentare sia nell'aspetto di una bella donna sia in quello di una vecchia megera. Per come è usata qui, la locuzione "fata maligna" pare, come significato, più prossima a "fata" che a "spirito" o "folletto" (in inglese *goblin*, N.d.T.), come nella *Fata maligna I*, poiché sia Villemarqué sia Tolkien usano in modo interscambiabile le parole "fata" (*fée* o *fay*) e "fata maligna" (*corrigan*). Qui, essa è presentata così come si vede il più delle volte nelle fiabe tradizionali, accanto all'acqua, mentre, in modo seducente, si pettina i lunghi capelli. Più tardi, lo stesso Tolkien usò il termine *fay* per la sua Ginevra nella *Caduta di Artù*, opera scritta verso il 1934 ma pubblicata solo nel 2013; ella vi è descritta "Bella come una donna fatata, ma dalla mente malvagia, andava nel mondo per la disgrazia degli uomini" (J.R.R. Tolkien, *La caduta di Artù*, a cura di Christopher Tolkien, traduzione di Sebastiano Fusco, Milano, Bompiani, 2015).

"OR TU MI SPOSERAI" (v. 51). Si veda, *supra*, la nota al verso TU MI RICAMBIERAI QUI CON L'AMORE di *Aotrou e Itroun* (p. 59).

"PREPARAMI IL LETTO" (v. 71). Si tratta di un verso tradizionale nelle ballate, e indica la consapevolezza che il signore ha di esser mortalmente malato. Esso appare

Le poesie della fata maligna

con una ripetizione che si fa via via più insistente nella ballata *Lord Randall*, ove il signore che sta morendo, tornando dal "bosco" dov'è stato avvelenato dall'amata, dice dapprima alla madre:

Madre, preparami il letto, presto, ché sono
esausto per la caccia e tanto amerei sdraiarmi.

Verso la metà della ballata, il verso si muta in:

Madre, preparami il letto, presto, ché il cuore
mi duole e tanto amerei sdraiarmi.

L'uso che Tolkien fa di questo tropo può essere un riferimento voluto alla ballata *Lord Randall*.

"OH BUONA MADRE, CHE RUMORE FANNO?" (v. 79). Nella sezione *Notes et Eclaircissements* sulla ballata, Villemarqué riporta sei strofe in francese, dicendo che *le peuple le chante encore dans la haute Bretagne*; esse sono *une traduction exacte des stances bretonne*.

– Oh! dites-moi, ma mère, ma mie,
Pourquoi les sings (cloches) sonnent ainsi?

– Ma fille, on fait la procession
Tout à l'entour de la maison.

– Oh! dites-moi, ma mère, ma mie,
Quel habit mettrai-je aujourd'hui?

– Prenez du noir, prenez du blanc;
Mais le noir est plus convenant.

– Oh! dites-moi, ma mère, ma mie,
Pourquoi la terre est refrâichie?

– Je ne peux plus vous le cacher:
Votre mari est enterré
(Villemarqué, *Barzaz-Breiz*, cit., p. 46)

CANTAVA UNA FATA (v. 104). Si ponga questo a contrasto con la risata della fata nel poemetto (pubblicato) *Aotrou e Itroun*. La poesia di Tolkien, più cupa
rispetto alla sua fonte nel *Barzaz-Breiz*, si chiude con
il canto della fata. Egli ha scelto di omettere il finale
bretone, nel quale la moglie è posta nella stessa tomba
del marito, dalla quale spuntano agrifoglio e quercia
(emblemi pagani della rinascita). Fra i loro rami vi
sono due colombe bianche che cantano al sorgere del
sole e poi volano verso il cielo.

PARTE TERZA
IL FRAMMENTO, GLI ABBOZZI
MANOSCRITTI E DATTILOSCRITTI

IL FRAMMENTO

Questa poesia incompleta e priva di titolo, e che s'interrompe a metà di una frase, segna il passaggio di Tolkien in primo luogo dalle due poesie in forma di ballata dedicate alla fata maligna al più lungo, e filologicamente più complesso, *Aotrou e Itroun*; e, in secondo luogo, dalla rielaborazione di materiali preesistenti alla scrittura di un poemetto originale. Il frammento, di soli 29 versi, è scritto in corsivo su un foglio a righe dai bordi irregolari, tutto spiegazzato, il che lo distingue dallo stato relativamente buono delle pagine che contengono le poesie della fata maligna.

Il frammento non ha alcun titolo, sebbene esso, in modo ovvio, preannunci la trattazione della storia ben più lunga ed elaborata che si trova sia nella bella copia del manoscritto sia del dattiloscritto di *Aotrou e Itroun*, nonché la versione finale che Tolkien pubblicò sul *Welsh Review*. Il verso è allitterativo e privo di rime, anche se la versificazione segue la metrica del tetrametro giambico. La storia s'interrompe nel momento in cui il signore s'avvicina, "con pesanti passi", alla grotta della fata.

Il frammento è importante perché per la prima volta introduce nella storia la mancanza di figli del signore e la sua prima visita alla fata, elementi che non appaiono nei testi precedenti.

Of old a lord in archèd halls,
whose standing stones were strong and grey,
whose towers were tall o'er trees upraised,
once dwelt till dark his doom befell.
No child he had to cheer his house,
no son or heir to dind and land,
though wife he ~~had~~ wooed and wedding,
and long his bed in love she shared.
Long did his heart a ~~bmch~~ eld,
his house's end, an unheeded ~~boul~~
forebode, and blackly brooding bunnd
his mind to a mad and monstrous role.
A witch there ~~was a~~ she usèd creatives
and span dark spells with spider-craft
and potions brewed of power and dread.
In a cave she housed where cats and owls
~~were~~ harbour ~~sought~~ from hunting came,
night-stalking ~~near~~ with needle-eyes.
Such houseless hills was a hollow dale
black ~~was it~~ ~~rammm~~ knot and bleak its edge
~~rimmed~~ with ruinous rocks and cold.
There sat she silent on ~~her~~ seat upstone
at convenient ~~moments~~ on cries and spake
to her secret self. There seldom ~~came~~ land
or man at least but was harde kncwn.
Yet there one day as ~~drooping~~ low
a sullen sun was sinking dead,
and red the rocks ~~with~~ rays did stain,
that low abroad with ~~lagging~~ feet

Of old a lord in archéd halls,
whose standing stones were strong and grey,
whose towers were tall o'er trees upraised,
once dwelt till dark his doom befell.
No child he had to cheer his house,
no son or heir to sword and land,
though wife he wooed and wed with ring,
and long his bed in love she shared.
Long did his heart a lonely eld,
his house's end, an unheeded tomb
forebode, and blackly brooding bound
his mind to a mad and monstrous rede.[1]
A witch there was who webs contrived
and span dark spells with spider-craft
and potions brewed of power and dread.
In a cave she housed where cats and owls
their harbour sought from hunting came,
night-stalking near with needle-eyes.
In the houseless hills was a hollow dale
black was its bowl and bleak its edge
returned[2] with ruinous[3] rocks and cold.

In antico un signore, in sale a volta,
rette da pietre ch'eran grigie e forti,
e le cui torri s'innalzavan sopra gli alberi,
un tempo dimorò; poi l'abbatté oscuro fato.
Non avea figli a rallegrar la casa,
nessun erede alla sua spada, alle sue terre,
sebbene donna avesse corteggiato e poi sposato,
a lungo dividendo il letto con amore.
Solitaria vecchiaia a lungo il suo cuore
presagì, e di sua casata il crollo,
ed una tomba che nessuno nota,
e tanto oscuro meditar portò
la mente sua a scelta mostruosa e folle.
V'era una strega che creava tele
e bui incanti filava pari a destro ragno,
e pozioni approntava di potenza e di spavento.
Viveva in una grotta ove gatti e gufi
dopo la caccia ricercavano un rifugio,
nottivaghi, nei pressi, con acuti occhi.
Entro i deserti colli era una cava valle,
nera n'era la conca e tetro n'era il bordo,

There sat she silent on seat of stone
at cavern's mouth or cried and spake
to her secret self. There seldom dared
or[4] man or beast that man hath tamed.
Yet there one day as drooping low
a sullen sun was sinking dead,
and red the rocks the rays did slant,
that lord alone with lagging feet

di pietre rovinose orlato, e fredde.
Silente essa sedeva su scranno di pietra
alla grotta dinnanzi, ovvero al suo segreto io
parlava e piangeva. Pochi andavan là,
uomini fossero ovver bestie che l'uom doma.
Un dì, però, mentre cadendo in basso
un mesto sole sprofondava morto,
rosse facendo i raggi quelle pietre sghembe,
da solo, il signore con pesanti passi

GLI ABBOZZI MANOSCRITTI

Una bella copia, descritta da Christopher Tolkien nella sua Nota al testo come "un manoscritto, buono ma incompleto" di cinque pagine, spillate insieme sì da formare un fascicolo, contiene il frammento, ora scritto in distici rimati, non più in versi allitterativi, e preceduto da un verso che funge da introduzione e che situa la scena in "terra di Bretagna oltre i mari". Tratta della prima visita del signore alla fata e della nascita dei suoi due figli, e raggiunge il punto in cui egli implora la moglie di esprimere il suo desiderio; manca di una pagina. Le prime tre pagine, che contengono rispettivamente 42, 44 e 42 versi numerati a margine, seguono l'una all'altra, e terminano, sulla terza pagina completa, con il discorso del signore alla moglie. Riporto il numero dei versi così come essi appaiono nel manoscritto.

> Un festoso banchetto avremo noi quest'anno,
> ove non siederà o lacrima o sospiro;
> 125   e fingerem che l'amor nostro inizi
> a nuovo nella gioia e a nuovo corra

per ben lieti sentier – e chi sa, forse
noi pregheremo di vedere questa volta

La quarta pagina, scritta in una grafia leggermente
più minuta, come se facesse parte di una copia diversa,
presenta soltanto 32 versi e non continua dal punto che
chiudeva le tre pagine precedenti, apparendo così come
un'aggiunta tratta da un testo diverso. Si apre con il
verso 221. Anche qui, i numeri dei versi sono riportati
dal manoscritto.

dal bosco, forse, un cervo di rossastro pelo,
ovver dal basso stagno un natante pesce,
bramassi tu, a te lo porterò,
dovessi io cacciar per terre o acque.
225   Non oro v'è, non seta, non lucente gemma
che possa pareggiar mia gioia e mia letizia,
il bimbo e la bambina belli come gigli
che giaccion qui e che tu hai generato.

E termina con i vv. 245-252.

Tolse il signore allor la lancia sua di frassino,
porto il vino gli fu quand'era in sella.
Per la regione lo portò il cavallo nero,
insino ai verdi rami di Broceliande,
a quelle verdi valli ove i cervi all'erta
zoccoli o cacciatori odon di rado –
ne ascoltano il cono, fermi e fissi,
mentr'esso riecheggia a Broceliande.

La pagina successiva, completa, la numero 5 di quelle spillate insieme, ha 46 versi e si apre con "Svaniscon consumate primavera, estate"; dipinge il passare delle stagioni e, con il ritorno della primavera, la nascita dei gemelli, come nella versione del *Welsh Review*. Sul margine sinistro, accompagnati da una nota che indica che debbono essere inseriti nel testo, vi sono gli otto versi del dialogo della "umil gente" che fa commenti sulla buona sorte del signore, "Fosse ogni prece al doppio esaudita!", dialogo che termina con "la stessa gioia abbia il signore e a lungo viva!" La pagina finisce con le parole del signore, "Se più che oro o una gemma rara". È in quest'abbozzo che appaiono per la prima volta i termini *Aotrou* e *Itroun*, usati in un'allocuzione diretta fra il signore e la signora. Il manoscritto è privo di titolo ma la parola "Aotrou" (sottolineata) è scritta sul margine, di fianco ai primi versi dell'ultima pagina.

Esiste anche un manoscritto completo, in bella copia, di dodici pagine, preceduto da una pagina bianca che reca il titolo *Aotrou & Itroun*, il sottotitolo *Signore e Signora* e, sotto, tra parentesi, *(un lai bretone)*. Le pagine sono numerate di seguito e l'ultima porta l'annotazione di pugno di Tolkien "J R R T 23 sett. 1930" (si veda la Nota al testo di Christopher, pp. 7-9).

Il *lai* era una forma poetica in voga in Francia nel dodicesimo e tredicesimo secolo. I *lais* migliori e più noti furono scritti da una poetessa vissuta nel dodicesimo secolo, nota soltanto con il nome che lei stessa si diede, Maria di Francia, da molti considerata la più grande poetessa del Medioevo. I *lais* di Maria, così ella ci dice, sono riscritture in francese di racconti "dai quali i bretoni trasserò i loro *lais*" (Marie de France, *The Lais of Marie de France*, trans. by Robert Hanning and Joan Ferrante, New York, E.P. Dutton, 1978, p. 30), sebbene non esistano *lais* bretoni precedenti che ci consentano di corroborare quest'affermazione. Nella biblioteca di Tolkien erano presenti varie edizioni dei *Lais* di Maria, e non è fuor di luogo pensare che, nel dare la forma di un *lai* alla *Fata maligna II*, Tolkien stesse consapevolmente seguendo l'esempio di Maria.

Quanto alla loro forma, i *lais* sono lunghe narrazioni in distici ottosillabi rimati, che si concentrano tradizionalmente su un oggetto o magico o sovrannaturale – in questo caso la pozione magica della fata. Si può tranquillamente fare un confronto con il *Lai del Leithian* di Tolkien, al cui centro è il Silmaril. Sebbene non abbia alcun antecedente francese, esso è, quanto alla forma e al contenuto, un *lai* tradizionale. È degno di nota ricordare, qui, che Christopher Tolkien ne fissa la scrittura nel periodo (1930) in cui Tolkien stava lavorando anche al *Lai del Leithian*.

. AOTROU & ITROUN.

In Britain's land beyond the seas
the wind blows ever through the trees;
in Britain's land beyond the waves
are stony shores and stony caves.

There stands a ruined toft now green,
where lords and ladies once were seen;
where towers were piled above the trees,
and watchmen scanned the sailing seas.

Of old a lord in archéd hall
with standing stones yet grey and tall
there dwelt, till dark his doom befell,
as yet the Briton harpers tell.
No children he had his house to cheer,
his gardens lacked their laughter clear;
though wife he wooed and wed with ring,
who long her love to bed did bring,
his bowers were empty, vain his hoard,
without an heir did to land and sword.
His hungry heart did lonely eld,
his house's end, his banners felled,
his tomb unheeded, long forbode,
till brooding black his mind did goad
a mad and monstrous rede to take,
pondering oft at night awake.

A witch there was, who webs did weave
to snare the heart and wits to reave,
who span dark spells with spider-craft,
and, spinning, soundless shook and laughed;
and draughts she brewed of strength and dread
to bind the live and stir the dead.
In a cave she housed, where winging bats
their harbour sought, and owls and cats
from hunting came with mournful cries
night-stalking near with needle-eyes.
In the homeless hills was that hollow dale,
black was its bowl, its brink was pale;
there silent sat she on seat of stone
at cavern's mouth in the hills alone;
there silent waited. Few there came
or man, or beast that man doth tame.

AOTROU & ITROUN
(fair copy manuscript)

In Britain's land beyond the seas
the wind blows ever through the trees;
in Britain's land beyond the waves
are stony shores and stony caves.

5   There stands a ruined toft now green,
where lords and ladies once were seen;
where towers were piled above the trees,
and watchmen scanned the sailing seas.

    Of old a lord in archéd hall
10   with standing stones yet grey and tall
there dwelt, till dark his doom befell,
as yet the Briton harpers tell.
No children he had his house to cheer,
his gardens lacked their laughter clear;
15   though wife he wooed and wed with ring,
who long her love to bed did bring,
his bowers were empty, vain his hoard,
without an heir did[1] to land and sword.

AOTROU & ITROUN
(bella copia manoscritta)

In terra di Bretagna oltre i mari
tra gli alberi trascorre sempre il vento;
in terra di Bretagna oltre le onde
petrose prode son, petrose grotte.

5 Sorge un maniero là, or verde e in rovina,
ove un tempo eran dame e gran signori,
ove oltre gli alberi s'innalzavan torri
e la vedetta il mar guatava ove si naviga.

In antico un signor, in sale a volta,
10 rette da pietre ch'eran alte e grigie,
là dimorò; poi l'abbatté oscuro fato,
come narrano ancor gli arpisti bretoni.
Non avea figli a rallegrar la casa,
mancavano ai giardini le risate chiare,
15 sebbene donna avesse corteggiato e poi sposato,
a lungo dividendo il letto con amore,
vuote le stanze sue, vano il tesoro,
senza un erede per le terre e per la spada.

His hungry heart did lonely eld,
20   his house's end, his banners felled,
his tomb unheeded, long forbode,
till brooding black his mind did goad
a mad and monstrous rede[2] to take,
pondering oft at night awake.

25   A witch there was, who webs did weave
to snare the heart and wits to reave,
who span dark spells with spider-craft,
and, spinning, soundless shook and laughed;
and draughts she brews of strength and dread
30   to bind the live and stir the dead.
In a cave she housed, where winging bats
their harbour sought, and owls and cats
from hunting came with mournful cries
night-stalking near with needle-eyes.
35   In the homeless hills was that hollow dale,
black was its bowl, its brink was pale;
there silent sat she on a seat of stone
at cavern's mouth in the hills alone;
there silent waited. Few there came,
40   or man, or beast that man doth tame.

      Thither one day, as drooping red
the sullen sun was sinking dead,
and darkly from the mountain-rims
the slanting shadows reached their limbs,
45   that lord, alone, with lagging feet
came halting to her stony seat,
as if his quest he now half rued,
half loathed his purpose yet pursued.

Con l'affamato cuore presagiva
20 caduto lo stendardo, e la casata a fine,
vecchiezza solitaria e non notata tomba,
sinché il buio meditar spinse sua mente
a compier scelta mostruosa e folle,
desto pensando spesso nella notte.

25 V'era una strega che intesseva tele
a intrappolare il cuore e derubar la mente;
bui incanti filava, pari a destro ragno,
muta tremando e ridendo nel filare;
creava pozioni di forza e di spavento
30 per i vivi legare e rianimare i morti.
Viveva in una grotta e là i pipistrelli
si riparavano volando, e gufi e gatti
dopo la caccia andavan con luttuosi gridi,
nottivaghi, nei pressi, con acuti occhi.
35 Entro i deserti colli era sua cava valle,
nera n'era la conca e pallido era il bordo;
silente essa sedeva su un petroso seggio,
infra quei colli, sola, innanzi alla sua grotta;
silente là attendeva e pochi andavan là,
40 uomini fossero ovver bestie che l'uom doma.

Un giorno, là, mentre calante e rosso
il mesto sole affondava morto,
e oscure dal crinal delle montagne
le ombre sghembe ne toccavano le membra,
45 da solo, quel signore, con pesanti passi,
si accostò a quel petroso seggio,
quasi pentito della sua ricerca,
del perseguito scopo or quasi schivo.

In Britain's land beyond the waves
50 are stony hills and stony caves;
the wind blows ever over hills
and hollow caves with wailing fills.

His words came faltering on the wind,
while silent sat the crone and grinned;
55 but words he needed few – her eyes
were dark and piercing; filled with lies,
yet needle-keen all lies to probe.
He shuddered neath his sable robe.
His name she knew, his need, his thought,
60 the hunger that thither him had brought;
and ere his halting words were spent,
she rose and nodded, head she bent,
and stooped into her darkening cave,
whose mouth was gaping like a grave.
65 Returning swift in hand she laid
a phial of glass so fairly made
'twas wonder in that houseless place
to see its cold and gleaming grace;
and therewithin a liquid lay
70 as pale as water thin and grey
that no light sees and no air moves
lifeless lying under rocky rooves.

He thanked her trembling, proffering gold
to clawlike fingers shrunk and old.
75 The thanks she took not, nor the fee,
but laughing croaked: "Nay, we shall see!
Let thanks abide, till thanks be earned!

In terra di Bretagna oltre le onde,
50   petrosi colli son, petrose grotte;
per i colli trascorre sempre il vento
e colma di lamenti quelle cave grotte.

Titubarono al vento le parole sue,
mentre sedea la vecchia, e sorrideva.
55   Poche gli occorsero parole, ché gli occhi di lei
eran bui e pungenti, e menzogneri,
e acuti invero a riconoscer la menzogna.
Egli rabbrividì nel manto scuro.
Essa sapea il suo nome, il suo bisogno, il suo pensiero,
60   la fame che colà lo avea portato;
e prima che svanisser le parole titubanti,
essa annuendo s'alzò; chinò poi il capo,
e si piegò entrando nella buia grotta,
sì come spettro che ritorna nella tomba.
65   Lesta ne uscì e aveva nella mano
una fiala di vetro sì leggiadra
che miracolo parve in sì deserto luogo
vedere la sua grazia, sì lucente e fredda;
e dentro v'era un liquido versato
70   pallido pari ad acqua grigia e fine,
orba di luce e mai smossa dall'aria,
che morta giaccia sotto roccia che si sporga.

Egli tremando ringraziò e offrì oro
a quelle dita-artigli, rattrappite e vecchie.
75   Essa non accettò mercede o grazie
ma ridendo gracchiò: "Oh no, vedremo!
Quando 'l meriterò avrò il tuo grazie!

Men say such potions some have burned,
and some have cheated, unavailing,
80   working naught. I'll have no railing.
My fee shall wait, till fee I earn,
and, maybe, master, you return,
to pay me richly, or with gold,
or with what other wealth you hold."

85   In Brittany the ways are long,
and woods are dark with danger strong;
the sound of seas is in the leaves
and wonder walks the forest-eaves.

The way was long, the woods were dark;
90   at last the lord beheld the spark
of living light from window high,
and knew his halls and towers nigh.
At last he slept in weary sleep
beside his wife, in dreaming deep,
95   and wandered with his children dear
in gardens fair, yet girt with fear,
while dim the fingers slow did crawl
of creeping dawn across the wall.

The morning came with weathers fair,
100 for windy rain had washed the air,
and blue and cloudless, clean and high,
above the hills was arched the sky,
and foaming in the northern breeze
beneath the sky there shone the seas.
105 Arising then to greet the sun,

Qualcun bruciarono, si dice, tal pozioni,
furono inganno ad altri, e non aiuto,
80 prive d'esito alcun. Non voglio lagni.
Mercede attenderò sol per successo.
E forse tu, signor, ritornerai,
onde me ripagare riccamente,
con oro o altra ricchezza che tu tenga."

85 Lunghe sono le vie di Bretagna,
e bui i boschi per perigli grandi;
e tra le foglie v'è il suono del mare
e meraviglie son della foresta ai bordi.

Lunga la via, oscuri erano i boschi;
90 alfin vide il signore la scintilla
di luce viva da alta finestra
e seppe ch'eran prossime e sale e torri.
Ei poi dormì un faticoso sonno
presso la sposa, ed in profondi sogni
95 camminò con bambini ancor non nati
in giardini belli ma cinti di paura,
mentre le dita opache dell'alba strisciante
si mosser lente lungo la parete.

Giunse il mattino, col bel tempo,
100 ché pioggia e vento avevan dilavato l'aria,
e azzurro e senza nubi, terso e alto,
il cielo s'inarcava sopra i colli,
e, schiumanti alla brezza che venia da nord,
i mari rilucevan sotto il cielo.
105 Allor levandosi per salutare il sole

and day with a new thought begun,
that lord in guise of joy him clad,
and masked his mind in seeming glad;
his mouth unwonted laughter used,
110 and words of mirth. He oft had mused,
walking alone with furrowed brow;
a feast he bade prepare him now.
And "Itroun mine" he said, "my life,
'tis long that thou hast been my wife.
115 Too swiftly by in love do slip
our gentle years, and as a ship
returns to port, we soon shall find
again that morn of spring we mind,
when we were wed, and bells were rung;
120 but still we love, and still are young.
A merry feast we'll make this year,
and there shall sit nor sigh nor tear;
and we will feign our love begun
in joy anew, anew to run
125 down happy paths – and yet, maybe,
we'll pray that this time we may see
our hearts' desire more quick draw nigh
than yet we have seen it, thou and I;
for virtue is in hope and prayer":
130 so spake he gravely, seeming-fair.

In Britain's land across the seas
the spring is merry in the trees;
in Britain's land the birds do pair,
when leaves are long and flowers are fair.

e il giorno che iniziava con pensiero nuovo,
in sembiante di gioia sé vestì il signore
e in modi lieti mascherò la mente;
ebbe un sorriso a lui non uso sulle labbra,
110 e motti d'allegria. E spesso meditava,
solo vagando, e corrugando il ciglio;
e ordinò che gli approntassero un banchetto.
E "Itroun mia," ei disse, "tu, mia vita,
da lungo tempo sei ormai mia sposa.
115 Rapidi troppo, amando, vanno via
i nostri dolci anni, e come nave
che torna al porto presto troveremo
nel ricordo quel dì di primavera
quando noi ci sposammo al suon delle campane.
120 E ancora amiamo e ancor giovani siamo,
e un festoso banchetto avremo noi quest'anno,
ove non entrerà o lacrima o sospiro;
e fingerem che l'amor nostro inizi
a nuovo nella gioia e a nuovo corra
125 per ben lieti sentier – e chi sa, forse
noi pregheremo di veder quest'anno
vicino a noi il desir dei nostri cuori
ratto venire più di quanto mai vedemmo;
ché sperare e pregare è già virtù."
130 Gravemente ei parlò, con lieto aspetto.

Di là dai mari, in terra di Bretagna
fra gli alberi è lieta primavera;
nei boschi di Bretagna in coppia van gli uccelli,
quando lunghe sono le foglie e belli i fiori.

135 A merry feast that year they made
when blossom white on bush was laid;
there minstrels sang, and wine was poured,
and flowers were hung on wall and board.
A silver cup that lord there raised,
140 and smiling on the lady gazed:
"I drink to thee for health and bliss,
fair love," he said, "and with this kiss
the pledge I pass. Come, drink it deep!
The wine is sweet, the cup is steep!"

145 The wine was red, the cup was grey;
but blended there a liquid lay
as pale as water thin and frore
in hollow pools of caverns hoar.

She drank it, laughing with her eyes:
150 "Aotrou, lord and love!" she cries,
"all hail! and life both long and sweet –
wherein desire at last to meet!"

Dear love had been between the twain;
but stronger now it grew again,
155 and days ran on in great delight,
with hope at morn and mirth at night;
and in the garden of his dream
the fence of fear but faint did seem,
a far-off shadow at the edge
160 of lawns of sunlight without hedge:
there children two, a boy and maid,
yet half-imagined, danced and played.

135 E un festoso banchetto ebbero quell'anno,
      quand'eran bianchi fiori sui cespugli;
      dei menestrelli al canto, fu versato il vino,
      e ai muri e al desco si appeser fiori.
      D'argento il signor levò una coppa
140 e guardò la sua dama e le sorrise:
      "A te io bevo per salute e gaudio,
      mio dolce amore," disse, "e con un bacio
      io faccio una promessa: prendi e bevi!
      Il vino è dolce, fonda è questa coppa!"

145 Rosso era il vino e grigia era la coppa,
      e un liquido vi era là mischiato,
      pallido quale acqua fine e fredda
      che in cavi stagni sia di gelide caverne.

      Ella ne bevve, con ridenti occhi.
150 Ed esclamò: "Aotrou, mio amore e mio signore,
      salute e vita siano dolci e lunghe,
      e incontro a noi or venga il desir nostro!"

      Fra i due era stato sempre un dolce amore,
      che or si rinnovò ancor più forte,
155 e corsero via i giorni con delizia grande,
      con speme nel mattino e gioia nella notte;
      ed il giardino del suo sogno
      sol vagamente di paura era cintato,
      ombra lontana là, al confine
160 di prati solatii privi di siepi:
      e due bambini, un bimbo e una bimba,
      immaginava di veder danzar giocando.

Though spring and summer wear and fade,
though flowers fall, and leaves are laid,
165 and winter winds his trumpets loud
mid snows that fell and forest shroud;
though roaring seas upon the shore
go long and white, and neath the door
the wind cries with houseless voice,
170 yet fire and song may men rejoice,
till as a ship returns to port
the spring comes back to field and court.

A song there falls from windows high,
like gold that droppeth from the sky
175 soft in the early eve of spring.
"Why do they play? Why do they sing?"

"Light may she lie, our lady fair!
Too long hath been her cradle bare.
Yestreve there came as I passed by
180 the cry of babes from windows high –
twin children, I am told, there be.
Light may they lie and sleep, all three!"

"Would every prayer were answered twice!
Half or nothing must oft suffice
185 for humbler men, though they wear their knees
more bare than lords, as oft one sees."

"Not every lord wins such fair grace.
Come, wish them speed with kinder face!
Light may she lie, my lady fair;
190 long live her lord her joy to share!"

Svaniscon consumate primavera, estate,
appassiscono i fiori, e cadono le foglie,
165 l'inverno suona alta la sua tromba,
la neve ammanta i colli e la foresta,
s'allunga il mare, bianco, sulla proda
mugghiando forte, e di sotto alla porta
il vento grida con smarrita voce...
170 sì, ma gioisce ognun cantando accanto al fuoco,
sinché, come una nave che ritorna al porto,
nei campi torna primavera, e nella corte.

Cade ora un canto dall'alta finestra,
quasi un gocciar dorato giù dal cielo,
175 lieto nel primo inizio della primavera.
"Perché suonano essi? Perché cantano?"

"Tranquilla giaccia la signora nostra!
A lungo troppo fu la culla vuota.
Iersera giunse, mentre io passavo,
180 pianto di bimbi dall'alta finestra.
E mi fu detto ch'eran due gemelli.
Giaccian tranquilli i tre, in dolce sonno!"

"Fosse ogni prece al doppio esaudita!
A metà lo è spesso, ovvero in nulla,
185 all'umil gente che consuma i ginocchi
inver più dei signor, come si vede spesso."

"Non vince ogni signore una tal grazia.
Gioia augurate lor con lieta faccia!
Tranquilla giaccia la signora mia;
190 la stessa gioia abbia il signore e a lungo viva!"

A manchild and an infant maid
as lilies fair were in cradle laid,
and mirth was in their mother's heart
like music slow in deeps apart.
195 Glad was that lord, as grave he stood
beside her bed of carven wood.
"Now full," he said, "is granted me
both hope and prayer, and what of thee?
Is 't not, fair love, most passing sweet
200 the heart's desire at last to meet?

"Yet if thy heart still longing hold,
or lightest wish remain untold,
that will I find and bring to thee,
though I should ride both land and sea!"

205 "Aotrou mine," she said, "'tis sweet
at last the heart's desire to meet
thus after waiting, after prayer,
thus after hope and nigh despair.
I would not have thee ride nor run
210 from me beside nor from thy son!

– yet after sickness, after pain
oft cometh hunger sharp again."

"Nay, Itroun, if thirst or hunger strange
for bird or beast on earth that range,
215 for wine, or water from what well
in any secret fount or dell,
thee vex," he smiled, "now swift declare!

E un bambino e una bimba, belli
come fiori, nel letto furon posti,
e nel cuor della madre vi fu gioia,
come musica lenta in remoti mari.
195 Lieto il signor, mentre restava, grave,
accanto al letto d'istoriato legno.
E disse: "Or pienamente m'è concessa
speme e preghiera... e cosa provi tu?
Non è, mio dolce amor, più che soave
200 vero veder del cuore il desiderio?

"Ma se una qualche brama ancor stringe il tuo cuore,
o se non detta ancor è pur minima voglia,
oh ciò io troverò, ti porterò,
dovessi io percorrer terra o mare!"

205 "Oh, mio Aotrou," diss'ella, "è dolce sì
vero veder del cuore il desiderio,
dopo la lunga attesa e le preghiere,
dopo la speme e il quasi disperare.
In sella non vorrei vederti, in corsa,
210 lontano dal mio fianco, o dal tuo figlio!

– dopo la malattia, però, e dopo il duolo,
spesso ritorna a noi un'acuta fame."

"Itroun, se strana sete o strana fame
d'uccello o d'animal che muova in terra,
215 di vino oppure d'acqua di sorgente
che sia in celata valle o in una fonte
t'assilla... dillo adesso!" – e qui sorrise.

If, more than gold or jewel rare,
from greenwood, haply, fallow deer,
220   or fowl that swims the shallow mere
thou cravest, I will bring it thee,
though I should hunt oer land and lea.
No gold nor silk nor jewel bright
can match my gladness and delight,
225   the boy and maiden lily-fair
that here do lie and thou didst bear."

"Aotrou, lord," she said, "'tis true,
a longing strong and sharp I knew,
in dream, for water cool and clear
230   and venison of the greenwood deer;
for waters crystal-clear and cold
and deer no earthly forests hold;
and still in waking comes unsought
the foolish wish to vex my thought.
235   But I would not have thee ride nor run
from me beside nor from thy son!"

In Brittany beyond the seas
the wind blows ever through the trees;
in Brittany the forest pale
240   marches slow oer hill and dale.
There seldom ever horns were wound,
and seldom ran there horse or hound.

His lance of ash the lord then caught,
the wine was to his stirrup brought.
245   His black horse bore him oer the land

"Se più che oro o una gemma rara,
dal bosco, forse, un cervo di rossastro pelo,
220 ovver dal basso stagno un natante pesce,
bramassi tu, a te lo porterò,
dovessi io cacciar per terre o acque.
Non oro v'è, non seta, non lucente gemma
che possa pareggiar mia gioia e mia letizia,
225 questi bambini belli come gigli
che giaccion qui e che tu hai generato."

Diss'ella: "Aotrou, signore, è vero,
forte e pungente brama io conobbi
in sogno per un'acqua fresca e chiara,
230 e per la carne del boschivo cervo,
per acque chiare, cristalline e fredde,
per cervo che non è in terrestre bosco;
e sempre, nella veglia, non voluto,
quello sciocco desir giunge a turbarmi.
235 Ma in sella non vorrei vederti, in corsa,
lontano dal mio fianco, o dal tuo figlio."

In terra di Bretagna oltre i mari
tra gli alberi trascorre sempre il vento;
in Bretagna la pallida foresta
240 lenta si stende sopra colli e valli.
I corni raramente eran suonati là,
e raro vi correva o cavallo o cane.

Tolse il signore allor la lancia sua di frassino,
porto il vino gli fu quando fu in sella.
245 Per la regione lo portò il cavallo nero,

to the green boughs of Broceliande,
to the green dales where the listening deer
seldom hunter or hoof do hear –
his horn they hearken, as they stare and stand,
250 echoing in Broceliande.

Beneath the deepest woodland's eaves
a white doe startled under leaves;
strangely she glistered in the sun
as leaping forth she turned to run.
255 He hunted her from forest-eaves
into the twilight under leaves.
Ever he rode on reckless after,
and heard no sound of distant laughter.
The earth was shaken under hoof,
260 till the boughs were bent into a roof,
and the sun was woven in a snare;
and still there was laughter on the air.

The sun was fallen. Dim there fell
a silence in the forest dell.
265 No sight nor slot of doe was seen,
but shadows dark the trees between;
and then a longing sharp and strange
for deer that free and fair do range
him vexed, for venison of the beast
270 whereon no mortal hunt shall feast;
for water crystal-clear and cold
that never in holy fountain rolled.

The sun was lost; all green was grey;
but twinkled the fountain of the fay

insino ai verdi rami di Broceliande,
a quelle verdi valli ove i cervi all'erta
zoccoli o cacciatori odon di rado –
ne ascoltano il cono, fermi e fissi,
250 mentr'esso riecheggia a Broceliande.

Nel profondo del bosco, sotto le sue fronde,
ristette, sbigottita, bianca cerva;
nel sole stranamente essa rifulse,
per poi voltarsi e via balzar, fuggendo.
255 Ei la cacciò dai margini della foresta
sino al crepuscolo creato dalle foglie.
Ancora la seguì, sconsiderato,
e il suono non udì di risata lontana.
Sotto gli zoccoli tremò la terra
260 e i rami si piegarono a formare un tetto,
e il sole fu intessuto in una trappola;
e la risata era nell'aria ancora.

Era calato il sole. Nella valle
della foresta calò fioco il silenzio.
265 Più non si vide cerva, o la sua traccia,
solo fra gli alberi ombre ch'eran scure;
e allor lo tormentò oscura e strana
brama di cervi liberi che vagano
leggiadri, e della carne della bestia
270 che il desco al cacciatore mai non orna;
e d'acqua chiara e cristallina e fredda
che mai non scorse in una fonte sacra.

Perduto era il sole, grigio era ora il verde;
ma rilucea la fonte della fata

141

275 before her cavern on silver sand
  under dark boughs of Broceliande.
  Soft was the grass and clear the pool;
  he laved his face in water cool,
  and then he saw her on silver chair
280 before her cavern. Pale her hair,
  slow was her smile, and white her hand
  beckoning in Broceliande.

  The moon through leaves then clear and cold
  her long hair lit; through comb of gold
285 she drew her locks, and down they fell
  as the fountain falling in the dell.
  He heard her voice and it was cold
  as echo from the world of old,
  ere fire was found or iron hewn,
290 when young was mountain under moon.
  He heard her voice like water falling
  or wind along a long shore calling,
  yet sweet the words: "We meet again
  here after waiting, after pain!
295 Aotrou! lo, thou hast returned –
  perchance some kindness I have earned?
  What hast thou, lord, to give to me
  whom thou hast come thus far to see?"

  "I know thee not, I know thee not,
300 nor ever saw thy darkling grot.
  O corrigan, 'twas not for thee
  I hither came a-hunting free!"

275 innanzi a sua caverna, sopra argentea sabbia,
sotto gli oscuri rami di Broceliande.
Molle era l'erba e chiaro era lo stagno;
nell'acqua fresca ei si lavò la faccia.
E allor la vide, sopra argenteo scranno
280 innanzi alla caverna, con pallida chioma,
lento era il sorriso, bianca la mano
che lo chiamava a Broceliande.

Per le foglie la luna illuminava, chiara e fredda,
la lunga chioma sua; e con pettine d'oro
285 le ciocche essa traea, facendole cadere
come acqua di fonte cade nella valle.
La voce egli ne udì, ed era fredda,
sì come l'eco dell'antico mondo,
prima che il fuoco fosse o fosse il ferro,
290 quando sotto la luna giovane era il monte.
La voce sua egli udì quale cadente acqua,
o quale urlante vento su una proda;
dolce però fu il dir: "Noi c'incontriamo ancora,
dopo l'attesa, qui, e dopo il duolo!
295 Aotrou! Ascolta! Tu sei ritornato –
atto di cortesia mi guadagnai?
Che hai, signore, tu da dare a me,
che sì da lungi sei venuto a rivedere?"

"Non ti conosco, no, non ti conosco,
300 né mai io vidi la tua grotta oscura.
Oh fata tu maligna! Non per te
io venni qui sì libero a cacciare!"

"How darest then, my water wan
to trouble thus, or look me on?
305 For this at least I claim my fee,
if ever thou wouldst wander free.
With love thou shalt me here requite,
for here is long and sweet the night;
in druery dear thou here shalt deal,
310 in bliss more deep than mortals feel."

"I give no love. My love is wed;
my wife now lieth in child-bed,
and I curse the beast that cheated me
and drew me to this dell to thee."

315 Her smiling ceased and slow she said:
"Forget thy wife; for thou shalt wed
anew with me, or stand as stone
and wither lifeless and alone,
as stone beside the fountain stand
320 forgotten in Broceliande."

"I will not stand here turned to stone;
but I will leave thee cold, alone,
and I will ride to mine own home
and the waters blest of Christendom."

325 "But three days then and thou shalt die;
in three days on thy bier lie!"

"In three days I shall live at ease,
and die but when it God doth please

  "E come osi allor l'acqua mia opaca
  turbar così, ovvero me guardare?
305 Per queste cose almen reclamo mia mercede,
  se libero da qua andartene vorrai.
  Tu mi ricambierai qui con l'amore,
  perché la notte è lunga e dolce, qui;
  all'amor qui ti abbandonerai,
310 provando un gaudio che non uomo mai."

  "Amor non do, sposato è il mio amore,
  la sposa mia è diventata madre,
  e l'animale maledico che, ingannando,
  sino a te mi allettò in questa valle."

315 Cessò il suo sorriso ed essa disse, piano:
  "Scorda la sposa, or nuove nozze avrai
  con me, ovvero come pietra tu starai,
  privo di vita, appassendo, solo,
  qual pietra, sì, accanto alla sorgente,
320 dimenticato a Broceliande."

  "Io qui non rimarrò, mutato in pietra;
  ma te io lascerò, e solitaria e fredda,
  e verso casa mia cavalcherò,
  e verso le cristiane acque sante."

325 "Solo tre giorni e poi tu morirai;
  solo tre giorni e giacerai sul catafalco."

  "Io fra tre giorni ancora vivrò in pace,
  e solo io morrò quando a Dio piaccia,

in eld, or in some time to come
330 in the brave wars of Christendom!"

    In Britain's land beyond the waves
are forest dim and secret caves;
in Britain's land the wind doth bear
the sound of bells along the air
335 that mingles with the sound of seas
for ever moving in the trees.

    The way was long and woven wild;
the hunter, who to wife and child
did haste, at last he heard a bell
340 in some spire ring the sacring knell;
at last he saw the tilth of men,
escaped from thicket and from fen;
the hoar and houseless hills he passed
and weary at his gates him cast.

345 "Good steward! if thou love me well,
bid make my bed! My heart doth swell;
my limbs are numb with heavy sleep,
as there did drowsy poison creep.
All night, as in a fevered maze,
350 I have ridden dark and winding ways."

    To bed they brought him and to sleep,
fitful, uneasy; there did creep
the shreds of dreams, wherein no more
was sun nor garden, but the roar
355 of angry sea and angry wind;

o vecchio oppure in un futuro tempo
330 da ardito cristiano combattendo in guerra."

    In terra di Bretagna oltre le onde,
vi son foreste opache e celate grotte;
reca la brezza in terra di Bretagna
per l'aria il suon delle campane,
335 perché s'unisca al suon dei mari
che sempre tra gli alberi si muove.

    Selvaggia era la via, lunga e intricata;
rapido egli andò verso la moglie e i figli
e alfine il cacciatore udì il rintocco
340 della sacra campana, dalla torre;
alfine ei vide i campi coltivati,
sfuggito ai fitti boschi e alle paludi;
i colli passò bianchi e desolati
e stanco innanzi ai suoi portoni si arrestò.

345 "Buon maggiordomo, ordina, se m'ami,
di prepararmi il letto. Mi si gonfia il cuore;
per grave sonno ho torpide le membra,
ché in esse strisciano veleni lenti.
Tutta la notte, in dedalo febbrile,
350 io cavalcai per vie sinuose e oscure."

    A letto lo portarono, e al suo sonno,
inquieto ed agitato, ove strisciavano
i lacerti d'un sogno ove non più era il sole,
e nemmeno il verzier, ma il mugghiare
355 del mare irato e del furioso vento;

and there a dark face leered and grinned,
or changed – and where a fountain fell
a corrigan was singing in a dell;
a white hand as the fountain spilled
360 a phial of glass with water filled.

He woke at eve, and murmured: "ringing
of bells within my ears, and singing,
a singing is beneath the moon.
I fear my death is meted soon.
365 Grieve her not yet, nor yet do tell,
though I am wounded with a spell!
But two days more, and then I die!
And I would have had her sweetly lie,
and sweet arise; and live yet long,
370 and see our children hale and strong."

His words they little understood,
but cursed the fevers of the wood,
and to their lady no word spoke.
Ere second morn was old, she woke,
375 and to her women standing near
gave greeting with a merry cheer:
"Good people, lo! the morn is bright!
Say, did my lord return ere night,
and tarries now with hunting worn?"

380 "Nay, lady, he came not with the morn;
but ere men candles set on board,
thou wilt have tidings of thy lord;
or hear his feet to thee returning,
ere candles in the eve are burning."

e maligna gli sorridea oscura faccia...
e poi mutava e là ove scorreva fonte,
la fata maligna cantava nella valle;
da fonte che stillava, una bianca mano
360 riempiva d'acqua una fiala di vetro.

Si destò nel mattino e mormorò: "Campane
risonano al mio orecchio, e un canto
sotto la luna v'è, sì, un canto.
Temo che morte presto data mi sarà.
365 Duolo non date a lei, nulla ancor dite,
sebbene un incanto abbia me ferito!
Solo due giorni ancora e poi morrò!
Dolcemente giacer volevo io vederla
e poi levarsi e vivere poi a lungo
370 e i nostri figli veder sani e forti."

A stento essi compreser le parole,
i boschi maledissero e lor febbri,
e non disser parola alla lor signora.
Quando, tardi, il mattino ella si destò,
375 alle donne che le erano vicino
diede un saluto con aspetto lieto:
"Guardate, brave donne, è luce nel mattino!
Il mio signore, dite, non tornò innanzi a sera
e non riposa or stanco per la caccia?"

380 "No, mia signora, egli non giunse nel mattino,
ma pria che le candele siano sul desco
avrai notizie del signore tuo,
o udrai i suoi passi mentre a te ritorna
prima che di sera ardan le candele."

385   Ere the third morn was wide she woke,
and eager greeted them, and spoke:
"Behold the morn is cold and grey,
and why is my lord so long away?
I do not hear his feet returning
390 neither at evening nor at morning."
"We do not know, we cannot say,"
they answered and they turned away.

Now many days had seen the light
her gentle babes in swaddling white;
395 and she arose and left her bed,
and called her maidens and she said:
"My lord must soon return. Come, bring
my fairest raiments. Stone on ring
and pearl on thread, that him may please
400 when, coming weary back, he sees."

She looked from window tall and high,
and felt a breeze go coldly by;
she saw it pass from tree to tree,
and clouds that lay from hill to sea.
405 She heard no horn and heard no hoof,
but rain came pattering on the roof;
in Brittany she heard the waves
on sounding shore in hollow caves.

The day wore on till it was old;
410 she heard the bells that solemn tolled.
"Good folk, what is this noise they make?
In tower I hear the slow bells shake.

385   Il terzo mattino più presto si destò
    e loro ansiosa salutò e disse:
    "Guardate, il mattino è freddo e bigio,
    perché il mio signore ancora è lungi?
    Non odo i passi suoi mentre a me torna,
390 non nella sera e neppure nel mattino."
    "Noi non sappiamo, dire non possiamo,"
    risposero volgendosi altrove.

    I dolci suoi bambini, nelle fasce bianche,
    da molti giorni avean visto la luce
395 ed ella si levò e lasciò il letto,
    chiamò le damigelle e disse loro:
    "Il mio signore presto sarà qui. Portate
    l'abito più bello, l'anello con la gemma,
    e il fil di perle, sì che a lui faccia piacere
400 ciò che, stanco, vedrà al suo ritorno."

    Guardò dalla finestra, ch'era alta,
    sentì il soffio della brezza fredda,
    d'albero in albero passar la vide,
    e le nubi distese tra i colli e il mare.
405 Zoccoli non udì, non udì il corno,
    solo la pioggia che battea sul tetto;
    le onde ella udì là, in Bretagna,
    sulla sonante proda, in cave grotte.

    Il dì sé consumò, sinché fu vecchio;
410 ed ella udì campane battere solenni.
    "Mie brave donne, che rumore fanno?
    Odo lente tremar campane nella torre.

Why sing the white priests chanting low,
as though one to the grave did go?"

415 "A man unhappy here there came
a while agone. His horse was lame;
sickness was on him, and he fell
before our gates, or so they tell.
Here he was harboured, but to-day
420 he died, and passeth now the way
we all must go, to church to lie
on bier before the altar high."

She looked upon them, dark and deep,
and saw them in the shadows weep.
425 "Then tall, and fair, and brave was he,
or tale of sorrow there must be
concerning him, which still ye keep,
if for a stranger thus ye weep!
What know ye more? Ah say, ah say!"
430 They answered not, and turned away.

"Ah me," she said, "that I could sleep
this night, or least that I could weep!"
But all night long she tossed and turned,
and in her limbs a fever burned;
435 and yet when sudden under sun
a fairer morning was begun,
"Good folk, to church I wend," she said,
"My raiment choose, or robe of red,
or robe of blue, or white and fair,
440 silver and gold; I do not care."

Perché i bianchi preti cantano sì piano,
quasi qualcuno andasse alla sua tomba?"

415 "Un infelice uomo che qui giunse
or non è molto. Zoppo il suo cavallo,
malato lui: ed egli cadde innanzi
al portal del castello, sì si dice.
Qui fu ricoverato ma stamane
420 egli morì; e passa ora per la via
che ognuno passar deve, onde giacere in chiesa
sul catafalco innanzi all'altar grande."

Con occhi bui e fondi le guardò
e piangere le vide là, nell'ombra.
425 "Egli era alto e bello, e certo prode,
ovver dev'esser dolorosa storia
che lo riguarda e voi non rivelate,
se per un forestiero sì piangete!
Che più di me sapete? Oh, parlate!"
430 Ma esse si voltaron senza dar risposta.

Ed ella disse: "Ahimè, potessi io dormire
questa notte, ovver piangere potessi!"
Ma ella inquieta fu tutta la notte
e nelle membra febbre le bruciava;
435 e quando poi di colpo, sotto il sole,
ebbe principio un più bel mattino:
"In chiesa io vado, brave donne," disse.
"Un abito scegliete, che sia rosso
oppure azzurro, o bianco e leggiadro,
440 d'argento e d'oro – tutto m'è uguale."

"Nay, lady," said they, "none of these.
The custom used as now one sees
for women that to churching go
is robe of black and walking slow."

445   In robe of black and walking slow
the lady did to churching go,
in hand a candle small and white,
her face so fair, her hair so bright.
They passed beneath the western door;
450 there dark within on stony floor
a bier before the altar high,
and candles yellow stood thereby.
The watchful candles dim and tall
a light let on the blazon fall,
455 the arms and banner of her lord:
in vain his pride, in vain his hoard.

To bed they brought her, swift to sleep
for ever cold, though there did weep
her women by her dark bedside,
460 or babes in cradle waked and cried.

There was singing slow at dead of night,
and many feet, and taper-light.
At morn there rang the sacring knell
and far men heard the single bell,
465 sad, though the sun lay on the land;
though far in dim Broceliande
a fountain silver flowed and fell
within a darkly-woven dell;

Disser: "Signora, no, nessun di questi.
L'uso che or si vede per le donne
che vanno in chiesa a render grazie
è nera la veste, e lento il passo."

445 In nera veste e camminando piano,
la dama in chiesa andò a render grazie,
reggendo in mano una candela bianca,
sì bello il viso e fulgida la chioma.
Passaron per la porta a occidente;
450 nel buio, là, sul pavimento ch'è di pietra,
un catafalco era dinanzi all'altar grande,
e accanto a esso eran candele alte e gialle.
Le vigili candele, fioche e alte,
gettavan luce sul blasone suo,
455 del suo signor le armi e lo stendardo:
oh vana la fierezza, vano il suo tesoro.

A letto la portaron, che dormisse presto,
per sempre fredda, seppure là piangesser
le dame sue accanto al letto scuro,
460 e desti i bimbi urlasser nella cuna.

Vi fu un lento cantar nel mezzo della notte,
e molti passi e luce anche di ceri.
Risonò nel mattino il funebre rintocco;
una campana sola udì ogni uomo
465 da lungi, mesta; eppure, solatia era la terra;
eppur, nel fondo di Broceliande
scorrea argentea fonte, e ricadea,
entro una valle di buio intessuta,

    though in the homeless hills a dale
470 was filled with laughter cold and pale.

      Beside her lord at last she lay
    in their long home beneath the clay;
    and though their children lived yet long
    or played in garden hale and strong,
475 they saw it not, nor found it sweet
    their hearts' desire at last to meet.

      In Brittany beyond the waves
    are sounding shores and hollow caves;
    in Brittany beyond the seas
480 the wind blows ever through the trees.
    Of lord and lady all is said:
    God rest their souls, who now are dead.
    Sad is the note, and sad the lay;
    but mirth we meet not every day.
485 God keep us all in hope and prayer,
    from evil rede and from despair,
    by waters blest of Christendom
    to dwell, until at last we come
    to joy of Heaven where is queen
490 the maiden Mary pure and clean.

e una valletta fra quei colli desolati
470 d'una risata fredda e pallida era piena.

Accanto al suo signore alfine ella giacque,
nella dimora lor sotto l'argilla;
e se a lungo vivessero i lor figli,
se tra il verde giocasser sani e forti,
475 essi non vider mai, né a lor fu dolce
vero vedere alfin del cuore il desiderio.

Là, in Bretagna, là oltre le onde
son risonanti prode e cave grotte;
là, in Bretagna, là, oltre i mari,
480 tra gli alberi trascorre sempre il vento.
Or tutto è detto del signor, della sua dama:
essi son morti e Dio dia loro quiete!
Triste è la melodia, e triste è il lai,
ma l'allegria non incontriamo noi ogni giorno.
485 Ci guardi Dio, in speme e con preghiere,
dalla disperazione e il mal consiglio;
presso le acque sante del cristiano credo
viver ci faccia, insin che giungeremo
alla gioia del Ciel, dov'è regina
490 la pura e immacolata Vergine Maria.

NOTE E COMMENTO

SENZA UN EREDE PER LE TERRE E PER LA SPADA (in originale *without an heir did to land and sword, N.d.T.*) (v. 18). In questo verso, il *did* è, sicuramente, trascritto male dal successivo v. 19, *His hungry heart did lonely eld.* La parola che è stata aggiunta rovina la scansione e il significato del v. 18. Nonostante ciò, il poeta non la corresse e, quindi, è qui riportata.

A COMPIER SCELTA MOSTRUOSA E FOLLE (v. 23). Preso dal v. 12 del frammento. Si veda il "freddo avviso" nel passo parallelo del poemetto pubblicato (si veda *supra*, p. 21). L'uso, qui, di *rede* ("scelta") è tipico della tendenza di Tolkien a uscire dal seminato impiegando una forma arcaica ma dandole un significato corrente. L'accezione più comune di *rede*, dall'antico inglese *ræd*, dall'antico nordico *ráð*, è "consiglio" non, come qui, "decisione" o "risoluzione". L'espressione "mostruosa e folle" esprime un giudizio sul signore che manca nel poemetto pubblicato.

IL DATTILOSCRITTO

Esiste un'altra copia del poemetto, da porre prima della versione finale pubblicata sul *Welsh Review*. Si tratta di un dattiloscritto con, in gran numero, correzioni, aggiunte e spostamenti, di pugno di Tolkien, e scritti con l'inchiostro. È la versione dattiloscritta che, come annota Christopher Tolkien, divenne la base della versione finale.

Il dattiloscritto comincia con una pagina bianca, dai margini irregolari, e spiegazzata al margine superiore, che reca il titolo, ossia le parole *Aotrou & Itroun* scritte a mano, a inchiostro. Sotto di loro, vi è il sottotitolo, in corsivo dattiloscritto, *Signore e Signora* e, più in basso sulla pagina, sempre dattiloscritto, *Un "Lai bretone"*. Sotto, di pugno di Tolkien, è scritto: "di J.R.R. Tolkien". In fondo alla pagina, a rovescio e con le lettere al contrario, vi sono le parole dattiloscritte "nottivaghi, nei pressi, con acuti occhi" e, sotto queste, "Entro i deserti colli era sua cava valle, nera era". Il verso non sta tutto nella pagina.

Il dattiloscritto è formato da quattordici pagine; la lunghezza del poemetto, senza le aggiunte a margine e le correzioni, è di 490 versi, il medesimo numero della bella copia del manoscritto sul quale è basato. La versione definitiva, pubblicata sul *Welsh Review* (riprodotta sopra) ha 506 versi. Le revisioni cui Tolkien sottopose il dattiloscritto, aggiungendo in taluni punti e togliendo in altri, ampliò il poemetto di sedici versi.

AOTROU & ITROUN

In Britain's land beyond the seas
the wind blows ever through the trees;
in Britain's land beyond the waves
are stony shores and stony caves.

There stands a ruined toft now green
where lords and ladies once were seen,
where towers were piled above the trees
and watchmen scanned the sailing seas.
Of old a lord in archéd hell
with standing stones yet grey and tall
there dwelt, till dark his doom befell,
as still the Briton harpers tell.

No children he had his house to cheer,
for his courts with
~~his gardens lacked their~~ laughter clear;
though wife he wooed and wed with ring,
who love to board and bed did bring,
his pride was empty, vain his hoard,
without an heir to land and sword.

*And pondering oft at night awake
his darkened mind would
 make
of lonely age and death, to ...
unheeded ... strangers in ... room
with other names and the shields
were masters of his halls and fields.
Thus counsel cold he took at last
his hope from light to darkness passed.*

~~his hungry heart his lonely pit,~~
~~his house's end, his banner fallen,~~
~~his tomb unceded, long forbade,~~
~~till brooding black his mind did~~
~~a sad and monstrous resolution to take,~~
~~pondering oft at night awake.~~

*Thus pondering oft at night awake
his darkened mind would visions make,
Of lonely age and death; his tomb
unkept while strangers in his room
with other names and other shields
and West masters of his halls and fields.
Thus counsel cold he took at last:
his hope from light to darkness passed.*

A witch there was, who webs ~~she~~ *could* weave
to snare the heart and wits to reave,
who spun dark spells with spider-craft,
and *as she span she softly* ~~faintly~~ laughed;
~~and~~ *a drink* she brewed of strength and dread
to bind the quick and stir the dead.
In a cave she housed where winging bats
their harbour sought, and owls and bats
from hunting came with mournful cries,

6

COMMENTO

Il dattiloscritto che servì per approntare la versione pubblicata sul *Welsh Review* del *Lai di Aotrou and Itroun* ci apre come una finestra che ci permette di vedere il processo creativo di Tolkien, mostrandoci gli ultimi passi del viaggio che lo portò dalle poesie della fata maligna sino alla versione definitiva di *Aotrou and Itroun*, dalla ballata al lai, e dal racconto folkloristico alla tragedia. Vi sono revisioni su ogni pagina. Alcune sono semplici sostituzioni di una parola con un'altra, ma molte sono cancellazioni e riscritture sostanziali, in un caso di ben nove versi. Un foglio singolo, che reca l'indicazione "da inserire", contiene diciassette versi, e persino in esso vi sono cancellazioni e aggiunte. Non è parso opportuno riprodurre il dattiloscritto nella sua interezza ma la pagina qui riprodotta, data come modello, basta a dare un'idea dell'estensione e della natura delle modifiche. Qualche esempio del processo di revisione attuato da Tolkien mostrerà come operavano sia la sua creatività sia il suo modo di correggere.

I versi dal 19 al 24 furono, dapprima, scritti così:

Con l'affamato cuore presagiva
caduto lo stendardo, e la casata a fine,
vecchiezza solitaria e non notata tomba,
sinché il buio meditar spinse sua mente
a compier scelta mostruosa e folle,
desto pensando spesso nella notte.

Sono ricopiati parola per parola dalla bella copia del manoscritto. Vengono però poi cancellati e, sul margine sinistro, sono annotati in fretta questi versi, scritti per essere inseriti:

E, desto pensando spesso nella notte,
con l'oscurata mente immagini creava
di vecchiezza e di morte solitarie, e negletta
la sua tomba, e stranieri nella stanza sua,
i quai con altri nomi e altri scudi
dei campi eran padroni, e delle sale.
Un freddo avviso prese egli alfine,
e il suo sperar da luce mutò in buio.

I cambiamenti dal dattiloscritto alla prima revisione sono sostanziali. La revisione ha due versi in più; l'ultimo verso diviene il primo; lo stendardo abbattuto è omesso; la tomba "non notata" diviene invece "negletta", trasformando la mancanza d'attenzione in trascuratezza; la mente del signore e il suo "buio meditar" diventa "una "oscurata mente", il che suggerisce non tanto uno stato d'animo o una condizione quanto un mutamento interiore. Di particolare importanza è l'aggiunta degli ultimi due versi, con il cambiamento di "scelta" in "avviso", e con l'allitterazione che non unisce più *mad and monstruous* bensì *cold* e *counsel*, segnalando così il passaggio della speranza dalla luce all'oscurità. Tolkien però non si arrestò qui. Anche questi versi sono cancellati e, sul margine destro, ha scritto con grande cura:

E̶ ᶜᵒˢⁱ desto pensando spesso nella notte,
con l'oscurata mente immagini creava
di vecchiezza e di morte solitarie, e negletta
la sua tomba, e stranieri nella stanza sua,
i quai con altri nomi e altri scudi
dei campi eran padroni, e della sale.
Un freddo avviso prese egli alfine;
e il suo sperar da luce mutò in buio.

Questi cambiamenti sono minori, e sono prova di un affinamento dello stile. La sostituzione di "E" con "Così" rimpiazza una semplice copula con un commento in forma d'avverbio. In questa revisione vi è una *s* quasi invisibile alla fine della parola *vision*, forse aggiunta a matita ma in modo tanto leggero che, per leggerla, occorre usare una lente d'ingrandimento. La virgola dopo "Un freddo avviso prese egli alfine" è adesso un punto e virgola, trasformando il passaggio della speranza dalla luce all'oscurità nel risultato diretto del "freddo avviso".

Di particolare interesse è il foglio distinto inserito fra le pagine 10 e 11, il cui scopo è quello di sostituire i versi 351-360 di pagina 10. Il passo si riferisce al ritorno del signore alla sua casa. Ecco la versione dattiloscritta, circondata in rosso e cancellata:

A letto lo portarono, e al suo sonno,
inquieto ed agitato, ove strisciavano
i lacerti d'un sogno ove non più era il sole,
e nemmeno il verzier, ma il mugghiare
del mare irato e del furioso vento;
e maligna gli sorridea una faccia…
e poi mutava e là ove scorreva fonte,
la fata maligna cantava nella valle;
da fonte che stillava, una bianca mano
riempiva d'acqua una fiala di vetro.

Ecco i versi scritti su un foglio di carta distinto:

A letto lo portarono, e al suo sonno:
in intricati boschi, fondi e senza sole,
egli sognò vagar, senza trovare più
il verde verziere, ma, lungo la proda,
il mare lamentava là nel vento;
e maligna gli sorridea una faccia:
Ora l'ho^(Ora è) guadagnata e vieni e a me porta
la mia mercé ~~gridò~~ disse una voce, porta mia
                                                            mercé!
Accanto a una sorgente che scorreva fredda
{? ~~Ed egli vide poi fredda una fonte~~
or rattrappita e vecchia ~~e grigia~~ la maligna fata
sedeva e cantava e nell'artiglio
pettine ei vide, e di denti e d'ossi,
col quale essa^(la mano rotta e fessa) passava le sue
              ciocche vizze ~~la chioma bianca/grigia~~,
e^(ma) nell'altra sua mano ~~ella recava~~ ?] era
                                                            poggiata

una fiala di vetro colma d'acqua
che tolta fu da quell'amara fonte.

Mentre le molte revisioni riguardano diversi aspetti del poemetto, un cambiamento rilevante, che appare in evidenza per la prima volta nel frammento, è l'aggiunta di un movente che Tolkien attribuisce al signore, l'attento sviluppo dei suoi processi mentali e la loro progressione da un presagio alla decisione e, quindi, all'azione. La storia è così più affine a quella di Macbeth che a quella di Edipo, poiché non è il racconto di un uomo che, involontariamente, viene catturato dai meccanismi del caso, bensì la tragedia di un uomo che, volontariamente, segue la via sbagliata e la cui caduta nell'errore lo rende l'artefice del proprio destino.

Un secondo cambiamento riguarda lo sviluppo della fata maligna. Le sono dedicate tre scene nel poemetto nella sua forma definitiva, mentre erano due nella bella copia del manoscritto, una nella *Fata maligna II* e nessuna nella *Fata maligna I*. Inoltre, una delle tre scene si svolge come il sogno del signore addormentato, spostando così il baricentro dal piano sovrannaturale al piano psicologico. Qui, il signore, dormendo, vede la fata maligna non nel suo aspetto di "bella fata", com'è nell'epigrafe e nelle altre sue apparizioni nelle sembianze della seducente fata della fonte, bensì nella sua forma alternativa di vecchia megera.

Il movimento di queste revisioni e, invero, dei cambiamenti generali di poesia in poesia, conduce la storia in un territorio sempre più profondo e più cupo. Anziché iniziare con la nascita dei gemelli, come fanno la poesia bretone originale e il più breve *Lai* di Tolkien, la sua versione più tarda fa della mancanza di figli del signore il motore del suo destino, della sua "mostruosa e folle" decisione di ricercare la strega un sintomo della sua mente che va oscurandosi, e pone gli allettamenti fisici della fata in contrasto con la sua immagine "vizza" e "ossuta" che appare in sogno al signore. Nessun'altra opera di Tolkien dice di più riguardo al concetto che egli aveva del lato oscuro del mondo magico, alla sua credenza nel pericolo che è in quel periglioso reame, e alla sua consapevolezza delle insidie che esso ha per le persone ignare e delle prigioni che ha pronte per chi troppo osa.

PARTE QUARTA
UNA COMPARAZIONE DELLE POESIE

UNA COMPARAZIONE DELLE POESIE

In più occasioni, nei saggi e nelle lettere, Tolkien espresse la propria profonda convinzione che il linguaggio e il mito siano inseparabili, poiché ciascuno germina dall'altro e ciascuno dipende dall'altro quanto al suo significato essenziale. Le nozioni congiunte secondo cui un mondo creato dalla lingua che lo descrive genera la lingua del mondo che questa descrive lo condusse direttamente dallo studio dei miti del mondo reale espressi nel linguaggio a loro proprio (tra questi, l'anglosassone, l'antico nordico, il finnico e il bretone) al mondo da lui stesso inventato e alle lingue che egli creò per i propri popoli.

Questo principio sarà illustrato qui di seguito mediante un confronto tra il testo originale in bretone, la parafrasi francese di Villemarqué, due traduzioni contemporanee in inglese, a opera di Thomas Keightley e Tom Taylor, e la versione di Tolkien del *Lai di Aotrou e Itroun*. Anche senza aver familiarità con le lingue che sono presentate, è possibile riconoscere sulla pagina, e sentire tra le labbra, le differenze di forma e di suono e di dizione tra l'originale bretone dato da Villemarqué, la traduzione francese e le due traduzioni in inglese, che sono in competizione tra loro, ed è possibile paragonare tutto ciò con le rese di Tolkien delle medesime poesie.

Riportare tutte le poesie in tutte le lingue esula dalle finalità di questo libro e, anche nel caso ciò fosse una cosa fattibile, richiederebbe anche al lettore più diligente uno sforzo molto grande. Si spera comunque che gli esempi qui riportati, grazie anche all'ausilio di una qualche conoscenza della trama e dei personaggi coinvolti, possano offrire almeno un assaggio dell'affermazione di Tolkien secondo la quale "la mitologia è lingua e la lingua è mitologia" (*Tolkien on Fairy-Stories*, expanded edition, ed. by Verlyn Flieger-Douglas A. Anderson, London, HarperCollins*Publishers*, 2008, p. 181).

I versi sono presentati senza alcun commento, perché si ritiene che siano in grado di parlare da soli.

I VERSI INIZIALI IN BRETONE,
IN FRANCESE, IN INGLESE

Aotrou Nann Hag ar Gorrigan di Villemarqué, in lingua bretone, 1846

> *Ann aotrou Nann hag he briet*
> *Iaounkik-flamm oent dimezet,*
> *Iaounkik-flamm dispartiet.*

Le Seigneur Nann et la Fée di Villemarqué, in lingua francese, 1846

> *Le siegneur Nann et son épose*
> *ont été fiancés bien jeunes,*
> *bien jeunes désunis.*

Il signor Nann e la sua sposa
si fidanzarono assai giovani,
assai giovani si separarono.

The Lord Nann and the Fairy di Tom Taylor, in lingua inglese, 1865

The good Lord Nann and his fair bride,
Were young when wedlock's knot was tied –
Were young when death did them divide.

Il buon Lord Nann e la sua bella sposa
eran giovani quando legato fu il nodo nuziale,
eran giovani quando la morte li divise.

Lord Nann and the Korrigan di Thomas Keightley, in
lingua inglese, 1882

The Lord Nann and his bride so fair
In early youth united were,
In early youth divided were.

Lord Nann e la sua sposa, sì bella,
furono uniti quand'erano giovani,
furon divisi quand'erano giovani.

I VERSI INIZIALI DELLE POESIE
DI J.R.R. TOLKIEN

La fata maligna II, 1930

Guardateli, con alta gioia, in sella,
il giovin conte e la sua giovin sposa!
Oh nulla turbi mai la loro gioia
    seppur di strane cose sia ricolmo il mondo.

Il lai di Aotrou e Itroun (*The Welsh Review*, 1945)

In terra di Bretagna oltre i mari
tra gli alberi trascorre sempre il vento;
in terra di Bretagna oltre le onde
petrose prode son, petrose grotte.

Sorge un maniero là, or verde ed in rovina,
ove eran dame un tempo e gran signori,
ove oltre gli alberi s'innalzavan torri
e la vedetta il mar guatava ove si naviga.
In antico un signore, in sale a volta,
rette da pietre ch'eran alte e grigie,
là dimorò; poi l'abbatté oscuro fato,
come narrano ancor gli arpisti bretoni.

Non avea figli a rallegrar la casa,
le corti a riempire di risate chiare;
sebbene donna avesse corteggiato e poi sposato,
che avea portato amore a tavola e nel letto,
vuota la sua fierezza, vano il suo tesoro,
senza un erede per le terre e per la spada.

I VERSI FINALI IN BRETONE, IN FRANCESE, IN INGLESE

Aotrou Nann Hag ar Gorrigan di Villemarqué, in lingua bretone, 1846

> *Gwelet diou wezen derv sevel*
> *Diouc'h ho bez nevez d'ann uc'hel;*

> *Ha war ho brank diou c'houlmmik wenn,*
> *Hag hi ken dreo haken laouen,*

> *Eno 'kana da c'houlou de,*
> *Hag o nijal d'ann env goude.*

Le Seigneur Nann et la Fée di Villemarqué, in lingua francese, 1846

> *De voir deux chênes s'elever de leur tombe*
> *nouvelle dans les airs;*

> *Et sur leurs branchés, deux colombes blanches,*
> *sautillantes et gaies,*

Qui chantèrant au lever de l'aurore, et prirent ensuite leur volée vers les cieux.

Si videro due querce innalzarsi nell'aria dalla loro tomba nuova;

e sui loro rami, due colombe bianche saltellanti e gaie,

che cantarono al levarsi dell'aurora e spiccarono poi il volo verso i cieli.

The Lord Nann and the Fairy di Tom Taylor, in lingua inglese, 1865

Next morn from the grave to oak-trees fair,
shot lusty boughs high up in air;

And in their boughs – oh wondrous sight! –
Two happy doves, all snowy white –

That sang as ever the morn did rise;
And then flew up – into the skies!

La mattina dopo, dalla tomba alle belle querce spuntarono vivi rami alti nell'aria;

e tra i rami loro – oh spettacolo mirando! – due liete colombe, bianche come neve,

che cantavano mentre rinasceva il mattino;
e in volo si levarono – verso il cielo!

Una comparazione delle poesie

Lord Nann and the Korrigan di Thomas Keightley, in lingua inglese, 1882

To see two oak-trees themselves rear
From the new-made grave into the air;

And on their branches two doves white,
Who there were hopping gay and light;

Which sang when rose the morning ray
And then toward heaven sped away.

Vedere due querce sorgere spontanee
nell'aria dalla tomba appena fatta;

e sui rami loro due colombe bianche,
che saltellavano liete e lievi;

che cantarono quando sorse il raggio del mattino
e poi ratte n'andaron verso il cielo.

I VERSI FINALI DELLE POESIE
DI J.R.R. TOLKIEN

La fata maligna II, 1930

Accanto a lui la poser nella notte.
Udii campane e v'era luce, sì, dai ceri.
Intonàvano i preti una litania.
V'era oscurità sopra la terra
e lungi, nella pallida Broceliande,
cantava una fata là in Bretagna.

Il lai di Aotrou e Itroun (The Welsh Review, 1945)

ed era solatia la terra;
mentre nel fondo di Broceliande
scorreva argentea fonte, e ricadea,
entro una valle di buio intessuta,
e una valletta fra quei colli desolati
d'una risata fredda e pallida era piena.

Accanto al suo signore alfine ella giacque,
nella dimora lor sotto l'argilla;

e se a lungo vivessero i lor figli,
se tra il verde giocasser sani e forti,
essi non vider mai, né a lor fu dolce
vero vedere alfin del cuore il desiderio.

Là, in Bretagna, là oltre le onde
son risonanti prode e cave grotte;
là, in Bretagna, là, oltre i mari,
tra gli alberi trascorre sempre il vento.

Or tutto è detto del signor, della sua dama:
essi son morti e Dio dia loro quiete!
Triste è la melodia, e triste è il lai,
ma l'allegria non incontriamo noi ogni giorno.
Ci guardi Dio, in speme e con preghiere,
dalla disperazione e il mal consiglio;
presso le acque sante del cristiano credo
viver ci faccia, insin che giungeremo
alla gioia del Ciel, dov'è regina
la pura e immacolata Vergine Maria.

NOTE

NOTA AL TESTO

[1] Per un'analisi più dettagliata della prosodia, si veda la discussione di John Rateliff in *Inside Literature: Tolkien's Exploration of Medieval Genres*, in John William Houghton *et al.* (eds.), *Tolkien in the New Century: Essays in Honor of Tom Shippey*, Jefferson, NC, McFarland & Company, Inc., 2014. [Nota di Christopher Tolkien]

INTRODUZIONE

[1] Tolkien aveva l'abitudine di registrare il progresso del suo lavoro sulla bella copia del *Lai del Leithian*, annotando, sul margine destro, la data entro la quale aveva copiato un certo numero di versi. Così: "versi 3076-3084 (canto X), settembre 1930; verso 3220 (canto X), 25 settembre; verso 3267 (canto XI), 26 settembre" (Christina Scull, Wayne Hammond, *The J.R.R. Tolkien Companion and Guide*, vol. I, *Chronology*, Boston, Houghton Mifflin Company, p. 154). Per *Aotrou e Itroun* non è venuta alla luce alcuna registrazione del genere.

THE LAY OF AOTROU AND ITROUN

[1] Homestead.
[2] Rob, steal.
[3] Vial.
[4] Potion.

187

⁵ Frozen.
⁶ Grey.
⁷ Track.
⁸ Love-making.
⁹ Old age.
¹⁰ Cultivated land.
¹¹ Guide.
¹² Thanks for surviving childbirth.
¹³ Counsel.

LE POESIE DELLA FATA MALIGNA. INTRODUZIONE

¹ È una coincidenza degna di nota che la parola *korigans* appaia nel compendio di folklore conosciuto come *The Denham Tracts* (Michael Aislabie Denham, *The Denham Tracts: Reprinted from the Original*, ed. by Dr. James Hardy, 2 voll., London, David Nutt for the Folklore Society, 1892-1895, vol. II, p. 79), dove essa è nel medesimo elenco di parole che comprende il primo uso che sia noto e registrato di *hobbits*, un altro termine che Tolkien usò in modo vantaggioso nella propria opera.

LA FATA MALIGNA I

¹ Il termine bretone *bugel* è imparentato con il gallese *bwg* o *bwgwl*, "terrificante", come in *bygel* (o *bugayl*) *nos*, ossia "folletto della notte", e appare anche nella parola composta bretone *bugelnoz*, interpretato da Mackillop come "spirito della notte".

THE CORRIGAN

¹ Grimaced.
² Fallen nuts.
³ Glen, dell.

Note

LA FATA MALIGNA II

[1] Anche Tolkien scrisse una poesia su una sirena, in antico inglese: *Ofer Wídne Gársecg* ("Attraverso l'ampio oceano"), inclusa in Eric Valentine Gordon, J.R.R. Tolkien *et al.*, *Songs for the Philologists*, London, privately printed in the Department of English at University College, 1936, pp. 14-15.

IL FRAMMENTO

[1] Decision.
[2] Bent, back.
[3] Fallen.
[4] "Or" con il significato di "either".

AOTROU & ITROUN (FAIR COPY MANUSCRIPT)

[1] Vedi *Note e commento*, p. 159.
[2] Decision, resolve, plan.

BIBLIOGRAFIA

Briggs, Katherine, *The Vanishing People*, New York, Pantheon Books, 1978.

Carpenter, Humphrey, *J.R.R. Tolkien: A Biography*, London-Boston (MA)-Sidney, Allen & Unwin, 1977 [trad. it. *J.R.R. Tolkien. La biografia*, trad. it. di Franca Malagò, Paolo Pugni, Torino, Lindau, 2009].

Denham, Michael Aislabie, *The Denham Tracts: Reprinted from the Original*, ed. by Dr. James Hardy, 2 voll., London, David Nutt for the Folklore Society, 1892-1895.

Evans-Wentz, Walter, *The Fairy-Faith in Celtic Countries*, s.l., University Books, 1966 [trad. it. *Fate. Una fede celtica. Elfi, folletti, gnomi e coboldi nello studio più autorevole sulla realtà del Piccolo Popolo*, Roma, Golem Libri, 2016].

Gordon, Eric Valentine, Tolkien, J.R.R. *et al.*, *Songs for the Philologists*, London, privately printed in the Department of English at University College, 1936.

Houghton, John *et al.* (eds.), *Tolkien in the New Century: Essays in Honor of Tom Shippey*, Jefferson, NC, McFarland & Company, Inc., 2014.

Keightley, Thomas, *The Fairy Mythology*, London, George Bell & Sons, 1882.

Kirk, Robert, *The Secret Commonwealth of Elves, Fauns and Fairies*, Stirling, The Observer Press-Eneas MacKay, 1933 [trad. it. *Il regno segreto*, Milano, Adelphi, 1980].

MacKillop, James, *Dictionary of Celtic Mythology*, Oxford, Oxford University Press, 1998.

Marie de France, *The Lais of Marie de France*, trans. by Robert Hanning and Joan Ferrante, New York, E.P. Dutton, 1978.

Rhys, John, *Celtic Folklore: Welsh and Manx*, 2 voll., New York-London, Johnson Reprint, 1971.

Scull, Christina-Wayne, Hammond, *The J.R.R. Tolkien Companion and Guide*, vol. I, *Chronology*, Boston, Houghton Mifflin Company, 2006.

Shippey, Tom, *The Road to Middle-Earth*, revised and expanded edition, HarperCollins*Publishers*, London 2005 [trad. it. *J.R.R. Tolkien: la via per la Terra di Mezzo*, trad. it. di Roberto Arduini *et al.*, Genova-Milano, Marietti 1820, 2005].

Taylor, Tom, *Ballads and Songs of Brittany: Translated from the "Barzaz-Breiz" of Vicomte Hersart de La Villemarqué*, London-Cambridge, MacMillan and Co., 1865.

Tolkien, J.R.R., *The Lord of the Rings*, 2nd ed., 3 voll., Boston, Houghton Mifflin Company, 1967 [trad. it. *Il Signore degli Anelli*, trad. it. di Ottavio Fatica, Milano, Bompiani, 2020].

Id., *The Letters of J.R.R. Tolkien*, ed. by Humphrey Carpenter, Boston, Houghton Mifflin Company, 1981 [trad. it. *Lettere 1914/1973*, a cura di Humphrey Carpenter, con l'assistenza di Christopher Tolkien, trad. it. di Lorenzo Gammarelli, Milano, Bompiani, 2018].

Id., *The Monsters and the Critics, and Other Essays*, ed. by Christopher Tolkien, London, Allen & Unwin, 1983 [trad. it. *Il Medioevo e il fantastico*, ed. italiana a cura di Gianfranco de Turris, trad. it. di Carlo Donà, Milano, Bompiani, 2012].

Id., *The History of Middle-Earth*, vol. III, *The Lays of Beleriand*, ed. by Christopher Tolkien, Boston, Houghton Mifflin

Bibliografia

Company, 1985 [trad. it. Tolkien, J.R.R., *La storia della Terra di Mezzo*, vol. III, *I lai del Beleriand*, ed. italiana a cura dell'Associazione Italiana Studi Tolkieniani, trad. it. di Luca Manini, Milano, Bompiani, 2022].

Id., *The History of Middle-Earth*, vol. IX, *Sauron Defeated*, ed. by Christopher Tolkien, London, Harper-Collins*Publishers*, 1992.

Id., *Tolkien on Fairy-Stories*, expanded edition, ed. by Verlyn Flieger-Douglas A. Anderson, London, HarperCollins*Publishers*, 2008.

Id., *La caduta di Artù*, a cura di Christopher Tolkien, trad. it. di Sebastiano Fusco, Milano, Bompiani, 2015.

Villemarqué, Théodore Hersart de la, *Barzaz-Breiz: Chants Populaire de la Bretagne*, vol. I, Paris-Leipzig, Franck, 1846.

Yates, Jessica, *The Sources of "The Lay of Aotrou and Itroun"*, in Thomas Alan Shippey *et al.*, *Leaves From the Tree*, London, The Tolkien Society, 1991, pp. 63-71.

Nota:

Dove non specificato altrimenti le traduzioni delle citazioni dai testi sopracitati sono a cura di Luca Manini.

RINGRAZIAMENTI

Grazie innanzitutto a Chris Smith della HarperCollins e al Tolkien Trust per aver avviato questo progetto e per avermi invitato a lavorarci. Sono grato, in modo particolare, a Chris per la sua pazienza e il suo aiuto nel supervisionare questo libro, e nel dargli la forma che ha assunto. Il mio grazie va al Tolkien Trust per avermi concesso di riprodurre varie pagine dei manoscritti e del dattiloscritto dell'autore, conservati nell'archivio. Un ringraziamento particolare va a Christopher Tolkien per il suo contributo e i suoi consigli, e a Baillie Tolkien per aver facilitato molto la nostra comunicazione e i nostri rapporti. Queste tre persone hanno reso un vero piacere lavorare al *Lai di Aotrou e Itroun*. Grazie a ciascuno, e grazie a tutti.

IMMAGINI

Aotrou & Itroun,
primo folio del manoscritto   risguardo d'apertura

1. *La fata maligna I*,
primo folio del manoscritto   67

2. *La fata maligna II*,
primo folio del manoscritto   91

3. Il frammento   111

4. *Aotrou & Itroun*,
primo folio del manoscritto   121

5. *Aotrou & Itroun*,
prima pagina del dattiloscritto   163

J.R.R. Tolkien,
Baia nella Penisola di Lizard   risguardo di chiusura

INDICE

Nota al testo di Christopher Tolkien   7

Introduzione   11

PARTE PRIMA. IL LAI DI AOTROU E ITROUN   17

The Lay of Aotrou and Itroun
as published in *The Welsh Review*   18

Il lai di Aotrou e Itroun
secondo la stesura pubblicata sul *Welsh Review*   19

Note e commento   55

PARTE SECONDA. LE POESIE DELLA FATA MALIGNA   61

Introduzione   63

La fata maligna I   65

The Corrigan   68

La fata maligna   69

Note e commento   77

La fata maligna II. Un lai bretone – a imitazione
di *Aotrou Nann Hag Ar Gorrigan*, un lai del Leon   87

The Corrigan. A Breton Lay – after: *Aotrou Nann
Hag Ar Gorrigan*, a Lay of Leon   92

La fata maligna. Un lai bretone – a imitazione
di *Aotrou Nann Hag Ar Gorrigan*, un lai del Leon   93
Note e commento   103

PARTE TERZA. IL FRAMMENTO, GLI ABBOZZI MANOSCRITTI
E DATTILOSCRITTI   107

Il frammento   109
Gli abbozzi manoscritti   117
Aotrou & Itroun (fair copy manuscript)   122
Aotrou & Itroun (bella copia manoscritta)   123
Note e commento   159
Il dattiloscritto   161
Commento   165

PARTE QUARTA. UNA COMPARAZIONE DELLE POESIE   171

Una comparazione delle poesie   173
I versi iniziali in bretone, in francese, in inglese   175
I versi iniziali delle poesie di J.R.R. Tolkien   177
I versi finali in bretone, in francese, in inglese   179
I versi finali delle poesie di J.R.R. Tolkien   183

Note   187
Bibliografia   191
Ringraziamenti   195
Immagini   197

Dello stesso autore presso Bompiani

Le avventure di Tom Bombadil
Beowulf
Beren e Lúthien
Il cacciatore di draghi
La caduta di Artù
La caduta di Gondolin
Il fabbro di Wootton Major
I figli di Húrin
Foglia di Niggle
La formazione della Terra di Mezzo
Lo Hobbit illustrato
Lo Hobbit a fumetti
Lo Hobbit annotato
I lai del Beleriand
La leggenda di Sigurd e Gudrún
Lettere 1914-1973
Lettere da Babbo Natale
Il libro dei racconti perduti – prima parte
Il libro dei racconti perduti – seconda parte
Il medioevo e il fantastico
Racconti incompiuti
Il ritorno di Beorhtnoth figlio di Beorhthelm
Roverandom
Il Signore degli Anelli illustrato da Alan Lee
Il Signore degli Anelli. La Compagnia dell'Anello
Il Signore degli Anelli. Le due Torri
Il Signore degli Anelli. Il ritorno del Re
Il Silmarillion
Sir Gawain e il Cavaliere Verde
La storia di Kullervo
La strada perduta e altri scritti
Mr. Bliss